S0-AUM-560

佛光世界叢書之二

佛光菜根譚

星雲大師／著

自序

星雲

《菜根譚》是一本家喻戶曉的書籍，從明朝萬曆年間洪自誠寫成之後，就一直在民間傳佈，甚至被許多人當成是善書助印流通，到現在為止，不知已經印出多少版次。幾年前，台灣的名漫畫家蔡志忠先生將其內容繪成漫畫出版，更受歡迎。聽說此書最近在中國大陸也廣為流傳，還有些書商佐以優美的插畫，圖文並茂，讓大家在賞心悅目之餘，能將做人處事的道理領略於心，可謂功德無量。

由於我幼年時經常閱讀此書，對於其中的語句耳熟能詳，所以後來弘法之時就常引用其中的典故，久而久之，更發覺《菜根譚》言簡意賅、詞句婉約，既富含人生的哲理，又兼具文學的優美；通俗中不失莊嚴的風貌，文藝中蘊藏深遠的意義，可以作為

大家做人處事的座右銘。

去年，《佛教叢書》十冊出版之後，我再接再勵，擘畫《佛教教科書》十二冊，而數月之前，我突然想到三十多年來所言所行都是在為弘揚佛法，或為教育人心而略盡微忱，其中或有數語，像《菜根譚》的體例一樣，可以獻給當代青年作為修身用心的參考。佛光山法堂擔任書記的弟子知道以後都十分歡喜，由滿義、滿果、妙覺等在我的講演集、日記、百語、法語、偈語等，及平常對徒眾的小參、開示的記錄裡面，搜集了二千多項條目，再由我加以篩選為一千則結集，由永明、永進、慧濟、覺凡等打字編印，再由佛光山文化院及香海文化的永均法師出版。

對於此書的發行，我有四點願望：

一、本書內容都是我過去對門徒學子和社會上各行各業所講過的片言隻語，當此提倡心靈改革的時候，我由衷希望各階層人士閱讀以後，都能感到增進品德、淨化身心的受用，進而對社會人群有所貢獻。

二、近二十年來，我忙於雲遊世界、弘法利生，每有集眾都是千數百人，無法直接和許多信徒、朋友們個別的閒話家常，現在謹獻上此書，作為彼此接心的橋樑，略減心中的遺憾。

三、現代教育缺乏修身養性、敦品勵學的書籍，如果此書能作為莘莘學子們心性上的參考指南，我希望其中一言半句能對他們的未來有深遠的影響。

四、年前，國際佛光會秘書長慈容法師曾將我寫給會員的三十封信出版，成為「佛光世界」推出的第一本叢書。《佛光菜根譚》將繼此之後，成為佛光山弟子及佛光會會員們居家修持及

立身行事的準則。如古時的《菜根譚》一樣，此書雖不是什麼滋味豐腴的精緻美食，但只要能像青菜蘿蔔作為家常便飯的佐料，讓讀者們都能身輕氣爽、心曠神怡，則於願足矣！

此外，尚有二事祈請大家見諒：

一、我喜好讀書，但未曾習作對偶、韻文，所以書中很多字句只求朗朗上口、通暢易讀，未能盡如詩詞歌賦般優美流利，甚至文言白話也在所不計，先在此向各位致上歉意。

二、裡面的言辭都是我在平日口說筆書時，從方寸中流露出來，大部份都是即興偶感，但其中或有幾句是早年閱讀時種入八識心田的句子，和別人的體例相似，因記憶不清，無法查證，如有類似情況，希望大家海涵。

是為序。

一九九八年六月在西來寺

目錄

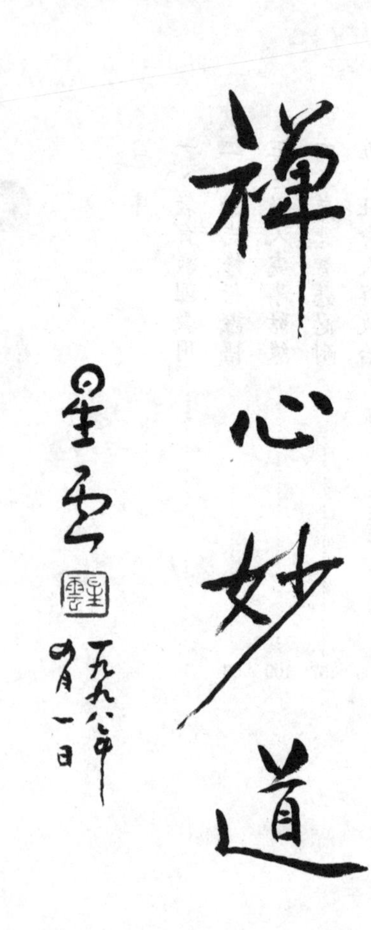
禪心妙道
星雲

一

人生最大的悲哀，是自己對前途沒有希望；

人生最壞的習慣，是自己對工作沒有計劃。

二

一個登山的人在懸崖峭壁，所迫切需要的是青藤小樹；

一個上進的人在人生險途，所急於需要的是善言指南。

三

人生之大病，不在無用，而在無明；

事業之成功，不在學歷，而在學力。

四

「學習吃虧」能養德，「人我互調」能慈悲；

「當然如此」能自在，「享有就好」能常樂。

五

交友以無瞋為自在，做人以無癡為清涼，

用心以無相為淨土，修行以無得為涅槃。

六

人的能力在努力中可以增加，

人的學問在虛心下可以進步。

七

人的健康，主要在身心健全，而非勇武有力；

人的長壽，主要指延續慧命，而非長命百歲。

八

上課聞道要有歡喜心，指導訓話要有接受心，

做事擔當要有勇敢心，和人相處要有恭敬心。

九

凡事皆有利弊，只要懂得權衡之道，往大處著眼，枯石朽木也能入藥；凡人皆有長短，只要懂得用人之道，取彼之所長，破銅爛鐵也能成鋼。

一〇

工作時沒有貴賤之分，服務時沒有高低之別，讀書時沒有老少之分，修道時沒有聖凡之界。

一一

不吃過頭的飯，不講過頭的話，不走過頭的路，不做過頭的事。本份，照顧當下；過頭，失去未來。

一二

不妄求是知足的生命，不投機是本份的性格，不計謀是誠實的做人，不自私是淨化的身心。

一三

不患人之不重己，應患己之不重人。

一四

不想改過的人，無法調教；不想向善的人，無法得度。

一五

不辭小水，方能成就海洋；不積小善，無以圓滿至德。

一六

不願說理是固執，不會說理是愚者，

不敢說理是奴隸，不肯說理是無知。

一七

心懷善念，日日是好日；

里鄰和睦，處處是淨土。

一八

水入汙泥，雖清亦濁；

人入邪惡，雖正亦奸。

一九

水之性，在由高而下，故宜因勢利導，以為疏通之則；

人之性，在有所獲得，故當喜捨布施，以為結緣之方。

二〇

牙齒以堅硬易毀，故聖賢貴柔；
刀刃以尖銳快摧，故聖賢貴渾；
神龍以難見稱瑞，故聖賢貴潛；
滄海以汪洋難量，故聖賢貴深。

二一

思想要國際化，生活要律儀化，
語言要古典化，學習要現代化。

二二

布施可以種一收十，持戒可以三業清淨，
忍辱可以自他得益，精進可以無事不成，
禪定可以身心安住，智慧可以洞察秋毫。

二三

以言語譏人，取禍之大端；以度量容人，集福之要術；以勢力折人，招尤之未遠；以道德化人，得譽之流長。

二四

以捨為有，則不貪；以忙為樂，則不苦；以勤為富，則不貧；以忍為力，則不懼。

二五

求學讀書要：

讀做一個人，讀明一點理，

讀悟一點緣，讀懂一顆心。

二六

世學有漏，佛法無邊；
知識變易，真理常新。

二七

只說好話不做好事，好話等於廢話；
只做好事不說好話，好事等於無事。

二八

失敗之人，不外乎一意孤行、剛愎自用；
成功之人，大多能與人為善、從善如流。

二九

失敗者，往往是熱度只有五分鐘的人；
成功者，往往是堅持最後五分鐘的人。

三〇

世間最好的東西，是歡喜；世間最貴的善舉，是結緣；世間最大的力量，是忍耐；世間最強的願力，是甘願。

三一

金錢可以買得到奴隸，但買不到人緣；

金錢可以買得到群眾，但買不到人心；

金錢可以買得到魚肉，但買不到食慾；

金錢可以買得到高樓，但買不到自在；

金錢可以買得到美服，但買不到氣質；

金錢可以買得到股票，但買不到滿足；

金錢可以買得到書籍，但買不到智慧；

金錢可以買得到床舖，但買不到睡眠。

三二

生產好似搖錢樹，節儉猶如聚寶盆，

勤快能換萬擔糧，用心擁有全宇宙。

三三

用兵擇其勇，用人擇其才，

用理擇其道，用錢擇其德。

三四

耿介嚴正，用以律己；忠厚義氣，用以待人；

真誠勤勉，用以任事；慈悲發心，用以行善。

三五

用感情換取他人的信仰，無法長久；

用道德建立他人的尊敬，歷久彌深。

三六

由「無常」，可悟緣起緣滅，必能精進；

由「無我」，可知性真性實，必得自在。

三七

目中有人助緣多，口中有德福報多，

耳中清淨和諧多，心中有佛歡喜多。

三八

在學識上要力求博大精深，

在修養上要力求忍耐包容。

三九

養生之道，在於吃得淡，吃得粗，吃得少；

處世之道，在於吃得苦，吃得虧，吃得重。

四〇

自我觀照，反求諸己；自我更新，不斷淨化；

自我實踐，不向外求；自我離相，不計內外。

四一

有田不種，必無收成；

有錢不用，必空積聚。

四二

有為法雖假，棄之則佛道難成；

無為法雖真，執之則慧光不朗。

四三

有道之書盡讀，明事之書多讀，

閒雜之書少讀，邪妄之書不讀。

死，要死得有價值；死有重如泰山，有輕如鴻毛；活，要活得有尊嚴；活有流芳百世，有遺臭萬年。

四五

為人父母，要心甘情願養育子女；

為人師長，要心甘情願作育英才；

為人學生，要心甘情願承受教誨；

為人子女，要心甘情願孝養父母。

四六

求革新不可太快，厭惡人不可太兇，

要他好不可太過，用人才不可太急，

聽發言不可太率，對自己不可太寬。

四七

有能力的人，處處給人方便；

無能力的人，處處給人為難。

四八

自己不學好，別人幫不了；

自己要學好，誰也擋不了。

四九

勇氣須從一念中求，

仁慈須從行儀裡找。

五〇

生活的教育重於知識的教育，道德的教育重於功利的教育，

普及的教育重於特權的教育，自覺的教育重於接受的教育。

五一

坐姿如鐘，必須穩重；
站立如松，必須正直；
容貌如鏡，必須明淨；
行止如法，必須合儀；
思想如流，必須清澄。

五二

作家在稿紙上耕耘，農夫在土地上耕耘，
教師在黑板上耕耘，禪者在心地上耕耘。

五三

人我相處之道，靠生活教育來訓練；
自我提昇之道，靠思想教育來啟發。

五四

事事肯放過他人則德日昇，
事事不放過自己則學日密。

五五

沒有新觀念，不會有進步；
沒有大格局，不會有遠見。

五六

事，無法要求「完美」，但至少要能「完成」，才算盡到己責；
人，無法要求「萬能」，但至少做到「可能」，就能堪受擔當。

五七

依附得人，可獲終身快樂；
投靠非類，將造一生之殃。

五八

受社會教育，為一家謀生；

受心靈教育，為萬眾化導。

五九

以智慧燈來點亮心光，以自性佛來成就內心，

以六度法來治療心病，以七聖財來豐富內財。

六〇

幸運，總是垂青於勇敢的人；

福報，總是降臨於厚道的人。

六一

在貧困中，要有忠心志氣；在危難中，要有信心勇氣；

在富貴中，要有善心義氣；在修持中，要有正心道氣。

六二

所謂學問，在於治事，事不治，縱學無益；
所謂佛法，在於治心，心不治，縱修無成。

六三

法無善惡，善惡是法；
境無損益，損益在人。

六四

治學不厭是智者，教育不倦是仁者，
做事不苦是勤者，受苦不訴是能者。

六五

知己、律己，是立身處世之要道；
容他、助他，是人際相處之良津。

六六

知苦惱，才會本份不妄求；
知慚愧，始能進步不退化。

六七

敢於發問，問出智慧；長於聽聞，聞出對話；
善於溝通，談出共識；勇於思考，想出創意；
受於鍛鍊，磨出實力；安於靜修，修出道德。

六八

信其言，不察其行，是智者之愚；
信其行，不察其言，是愚者之智；
察其言，亦察其行，是智者之智；
不察言，亦不察行，是愚者之愚。

六九

自學，是成功的動力；自律，是成功的條件；

自信，是成功的方法；自尊，是成功的要素。

七〇

安排自己能獲得快樂，充實自己能獲得知識，

掌握自己能獲得平安，創造自己能獲得成功。

七一

真理要靠力量來實踐，

力量要靠真理來發揮。

七二

為了完成自己，任何考驗都得忍受；

為了解決紛爭，任何責任皆得擔當。

七三

為了體驗人生，應以道德嚴律人格；

為了追求學問，應以智慧擴充心光。

七四

為學當重聞思修，將來必須說寫做，

若能具備戒定慧，必可清淨樂融融。

七五

若要身體好，飲食要吃少；若要人緣好，誠懇莫驕傲；

若要家庭好，關懷最重要；若要事業好，勤勞來創造。

七六

皈依三寶是平等的精神，因為生佛一如，無高無下；

受持五戒是自由的尊重，因為不侵犯人，彼此受益。

七七

看得破的人，處處都是生機；

看不破的人，處處都是困境。

七八

研究要靠資料，發明得靠才華，

讀書需要深思，做事應該明辨。

七九

要做行為正直坦蕩的君子，

不做沒有是非觀念的小人。

八〇

個人的性格，影響自己一生，

群眾的性格，影響萬世族親。

八一

時間是一秒一秒給你的，所以要一秒一秒的用；
書籍是一字一字寫就的，所以要一字一字的讀。

八二

胸襟寬大，條條都是大路；
心意清淨，處處都是淨土。

八三

能吃虧可以獲得大便宜，能受苦可以獲得大安樂，
能和氣可以獲得大力量，能散財可以獲得大聚集。

八四

做人要如滾雪球，越滾越有人緣；
做事要如織錦繡，越織越有成就。

八五

不擇細流終成海洋，不辭土壤終成高山，

不恥下問終致淵博，不飾過失終達善美。

八六

做人要能隨遇而安、隨緣生活、隨心自在、隨喜而作；

處事要從淡處著眼、疑處用心、無處下手、拙處力行。

八七

做大事要有魄力，做小事要能細心，

做難事要肯忍耐，做善事要求無相。

八八

做事要能知己，若捨寸就尺，不易獲得成功；

處世要能知人，若捨長取短，容易導致失敗。

八九

培才愛才，才可以傳燈；

教人用人，才可以傳宗。

九〇

培養自學的能力，才不會在苟安中退步；

培養教人的胸懷，才能將經驗傳承下來。

九一

培養興趣，而不養成癖好；

學習正直，而不學成古板。

九二

唯有付諸行動，才能達到目標；

唯有真修力行，才能航行彼岸。

九三

探索真理是人類最大的希望，

傳播真理是人類最高的使命。

九四

教育的課程在啟發心智，教育的要訣在觀機逗教，

教育的基礎在生活習慣，教育的目的在完成人格。

九五

理不明，事難辦；

事不舉，理難證。

九六

學問，學了要會問；

參學，參了還要學。

九七

粗心大意固然容易做錯事，
太過細心執著也容易誤事。

九八

處處留心，能夠發現問題；
事事研究，能夠解決問題。

九九

最好的談判，是從對方的利益著手；
最大的結緣，是幫助別人獲致成功。

一〇〇

對外境之誘惑，必要如止水死灰；
對學識之仰望，必要能如火如荼。

一〇一

立德、立功、立言，乃長壽之道；

信用、責任、勤勞，乃發財之道。

一〇二

給人信心、給人歡喜、給人希望、給人方便；

給，有無限的妙用。

懂得包容、懂得和平、懂得謙讓、懂得尊重；

懂，有無限的妙解。

一〇三

會「聞」，於道才能接受；

會「思」，於道才能受用；

會「修」，於道才能奉行。

一〇四

智者養神，愚者養身，

君子養德，小人養威。

一〇五

無錢無緣由他去，只修福慧作慈航；

少衣少食不計較，只求心內有寶藏。

一〇六

發言不懼粗淺，只懼幼稚無義；

下筆不愁無文，只愁辭窮無物。

一〇七

善用瑣碎的時間，是進步的良方；

珍惜點滴的因緣，是處世的妙藥。

一〇八

勢力不可使盡，勢盡則傾；

福德不可享盡，福盡則衰。

一〇九

感動是一時的，真正的感動是一生的。

受用是一時的，真正的受用是一生的。

一一〇

無言、心心相應，是談話的最高藝術；

無相、事事默契，是做事的最高境界。

一一一

會讀書不如會讀人，會讀人不如會識人，

會識人不如會用人，會用人不如會做人。

一一二

萬法相互緣起，世事不必強求；

只要因緣具足，自能水到渠成。

一一三

經驗能教人聰明，

吃虧能教人謹慎。

一一四

義之所在，不落人後；

利之所在，不居人前。

一一五

誠不一，則心不能專；

信不一，則言不能行。

一一六

從謙虛中體驗樂趣，從忍辱中培養美德，

從自制中克服物欲，從寧靜中安頓身心。

一一七

聚天下之英才而教育之，乃人生之樂事也；

得親近一明師而學習之，乃人生之福報也。

一一八

道德不厭其舊，

知識不厭其新。

一一九

夢想打開理想之門，

理想開闢成功之路。

一二〇

滿足之樂樂無疆，

多欲之苦苦難了。

一二一

疑於人者，人亦疑之；

忘於物者，物亦忘之。

一二二

微塵不算小，虛空不算大；

一個不算少，萬億不算多。

一二三

樂莫大於無憂，苦莫大於多欲，

富莫大於知足，貧莫大於貪婪。

一二四

遷善則其德日新，是稱君子；

飾過則其惡彌著，斯謂小人。

一二五

樂智者，經營利益，更經營文化；

求仁者，經營自我，更經營道義；

好禮者，經營財富，更經營善友；

慕道者，經營快樂，更經營法喜。

一二六

學而能用，是真學；

知而能行，是真知；

真學真知，是智慧。

一二七

學「禪」，先要學慚愧，自知慚愧才有禪心；

修「淨」，首須修恭敬，能恭敬人才有淨土。

一二八

學佛，主要是學自己，所以要向自己本心尋問；

學禪，主要是參自心，所以要向本來面目探究。

一二九

學問使人謙虛，無知使人驕傲；

虛心使人高貴，自負使人膚淺。

一三〇

學問是從經驗中獲得，

才華是從事實中表現。

一三一

學習，應向聖賢看齊；

比較，當以聖賢為準。

一三二

擁有一些佛緣，才會精進不懈，成就道業；

擁有一些天地，才會百尺竿頭，更進一步；

擁有一些修行，才會隨喜自在，不受拘束；

擁有一些功德，才會隨意所需，隨意所取。

一三三

擔當「老大」，能夠領導群倫，固然很好；

作個「老二」，配合成就他人，也很偉大。

老大要能愛護弱小，老二要能尊重前輩。

一三四

樹木不經日曬雨淋長不高，

人格未經千錘百鍊不健全。

一三五

懂得「無我」，能夠放下小我，融入大我，方能擁有更多；

體悟「無我」，懂得布施喜捨，分享眾生，就能處處有我。

一三六

我與大眾要融和共處，

我與金錢要能知善用，

我與衣食要惜福不奢，

我與身心要淨化莊嚴，

我與自然要同體共尊。

一三七

懂得利用時間的人，便是懂得永恆的智者；
懂得利用空間的人，便是懂得無邊的聖者。

一三八

藥無好歹，癒病者良；
法無勝劣，相應者勝。

一三九

讀書的目的，在於明理；
教育的目的，在於做人。

一四〇

改革來自決心，創造來自用心，
教育來自愛心，服務來自發心。

一四一

讀書的竅門無他，多讀、多記而已；

寫作的門路無他，多思、多寫而已。

一四二

讀書能進步，教書更能進步；

拜佛有信心，行佛更有信心。

一四三

顯正首要破邪，

揚清必先激濁。

一四四

觀樹之陰影而知其高大，

觀人之存心而知其德行。

一四五

淨化人心，是教育的根本目標；
變化氣質，是讀書的最大受用。

一四六

要有時空觀念的真實認知，
要有傳統觀念的歷史認知，
要有文化觀念的普遍認知，
要有信仰觀念的真理認知。

一四七

能勤，時間自然比他人多；
肯動，空間自然比他人廣；
耐苦，成功自然比他人大。

一四八

佛陀的主張是超越神權的控制，掌握自我的命運；

淨土的理念能達到生權的理想，建立平等的國度。

一四九

若能受用佛法，才能解決事情；

若能依止佛法，才能自在生活。

一五〇

戒不可不持，戒不持則人天路絕；

行不可不修，行不修則功德不圓；

經不可不讀，經不讀則理路不明；

禪不可不參，禪不參則心地不透；

道不可不悟，道不悟則觸目成滯。

一五一

一句真理無價寶，比金比銀萬倍好；
人間道德無價寶，比山比嶽萬倍高。

一五二

包容的心胸，要包容大與多；
承擔的勇氣，要承擔榮與辱；
決斷的智慧，要決斷是與非。

一五三

剎那的善心可得無盡的福報，
剎那的淨心可得無量的功德，
剎那的悟心可得無限的妙覺，
剎那的空心可得無相的本體。

一五四

有用的話一句，勝於無益的千言萬語；

有益的事一件，勝於無用的千辛萬苦。

一五五

一句善心美言，即是天堂的花香；

一聲瞋恨惡語，即成地獄的刀劍。

一五六

安樂是熄殺志氣的毒餌，

苦難是陶鑄聖賢的洪爐。

一五七

舉一知十，未必是聰明之輩；

舉十知一，未必是愚蠢之人。

一五八

詭言標異，未必有卓越之處；
言行平淡，未必非睿智之人。

一五九

為學要如金字塔，要能廣博要能高；
為人要如聖賢德，要有福慧有根基。

一六〇

一念誠心，諸緣感應；
十分懷恩，人天歡喜。

一六一

要勸化別人，首須端正自己，此乃「身教勝於言教」；
要辯解譏毀，先要健全自己，所謂「事實勝於雄辯」。

一六二

欲求正道，須先正心；欲入正道，須能放下；欲行正道，須運悲智；欲證正道，須悟無我。

一六三

法在則佛在，信法就是信佛；僧住則法住，信僧就是信法。

一六四

不修行，無以度自己；不說法，無以度眾生。

一六五

光榮歸於佛陀，成就歸於大眾，利益歸於常住，功德歸於信徒。

一六六

功名富貴轉眼空，唯立功、立德才是真受用；
世間三界皆火宅，唯安身、安心才是好淨土。

一六七

明古訓可以懲心，寡酒色可以清心，
袪私欲可以養心，悟至理可以明心。

一六八

微風吹人只覺清爽可愛，
愛語告人何等溫柔可親。

一六九

心地富有者，滴水之恩湧泉以報；
心地貧窮者，一物之施難如登天。

一七〇

未知時，宜一心一意求其所欲知；
既知後，當一心一意行其所已知。

一七一

語言重流利，更重得體；
衣著重樸素，更重合宜。

一七二

文章重通暢，更重內涵；
表達重明確，更重真誠。

一七三

精進是做人的捷徑，
結緣是辦事的資糧。

一七四

寧可持戒不圓滿，

不可破見失道心。

一七五

以無益的話語去佔有用的時間，

不僅使人討厭，簡直是無德之行；

以有用的時間去做無用的事情，

不但無補時益，簡直是糟蹋人生。

一七六

不急，不急，安全第一！

不急，不急，謙讓第一！

不急，不急，禮貌第一！

一七七

放逸是眾惡之本，
勤勇是善行之要。

一七八

以有念對治邪念，
以正念對治妄念，
以無念對治正念，

一七九

勿以少分的學德，博取多分的榮譽；
應以十分的才幹，擔負八分的任務；
要用萬分的準備，教授全分的課程；
雖受一分的恩惠，也報百分的心意。

一八〇

道之成在我，道之行在時，

道之美在人，道之證在修。

一八一

受得起別人的冷落，

禁得起外境的磨難，

困難就會向你低頭。

一八二

以鼓勵代替責備，

以慈愛代替呵罵，

以關懷代替放縱，

以同事代替隔閡。

讀後感言：

雲水三千

星雲

一九九八年四月一日

一

一切快樂，沒有比祥和更為快樂；

一切享受，沒有比寧靜更為享受。

二

一日修來一日功，一日不修一日空；

真正修行在日常，佛道本在生活中。

三

一個人心量有多大，事業就有多大；

一個人心能容多少，成就就有多少。

四

一個人的成就，在於日積月累；

一個人的成功，在於堅毅不拔。

五

要一言一行一心，

要能做能說能寫，

要看人看己看心。

六

人可以窮，心不能窮，心裡的能源，取之不盡；

身可以殘，心不能殘，心裡的健康，用之不竭。

七

受戒是：

我自由，他自由，大家都自由；我安全，他安全，大家都安全；

我歡喜，你歡喜，大家都歡喜；我健全，他健全，大家都健全；

我受用，他受用，大家都受用；我得度，他得度，大家都得度。

八

以身心的修持提昇自己，以禮讓的精神待人接物，
以崇高的品德服務社會，以遠大的眼光觀看世界，
才能過充實的人生。

九

人在順境時往往會得意忘形，所以知本份是做人的根本；
人在逆境中常常會灰心喪志，因此常精進是處世的基礎。

一〇

心中滿足到處好，人情冷暖任隨他，
樂觀進取直逍遙，威武權勢不必怕，
行住坐臥要威儀，衣食住行莫浮華，
做人處事八正道，慈悲喜捨稱無量。

一一

人有一分學養，便有一分氣質；
人多一分器量，便多一分人緣。

一二

人世間，沒有一個不如自己的人；
宇宙間，沒有一處不能成為淨土。

一三

人間的佛陀，不捨棄一個眾生，因為人人有佛性；
人間的佛教，不捨棄一點世法，因為處處有真理。

一四

不如人處勿自歎，須知天外有天；
勝於人處勿自傲，當念人外有人。

一五

不怕無知己，只恐道不成；

不怕無前途，只恐志不堅。

一六

不憂不懼、精進奮發，是祛病第一良方；

不排不拒、放下執著，是除惱第一秘訣。

一七

勿以己之長，而顯人之短；

勿因己之拙，而忘人之能。

一八

入世的生活，是以擁有為快樂，擁有是包袱、是拖累；

出世的生活，是以空無為快樂，空無是無邊、是無限。

一九

心中要有根，才能開花結果；
心中要有願，才能成就事業；
心中要有理，才能走遍天下；
心中要有主，才能立處皆真；
心中要有德，才能涵容萬物；
心中要有道，才能擁有一切。

二〇

以力服人，時間短暫，功效淺；
以德感人，時間久長，功效深。
與其用力服人，不如用德感人；
與其用力做事，不如用德做事。

二一

以別人的經驗，作自己的參考；

以別人的成功，作自己的榜樣。

二二

勿毀眾人之名，以成一己之善；

勿廢天下之理，以護一己之愆。

二三

心裡要常感念別人的恩德，

口裡要常讚美別人的長處。

二四

以讚歎代替嫉妒，則事事圓滿歡喜；

以隨緣代替執著，則處處方便自在。

二五

只要有願心，世界無遠近；

只要肯發心，人間無苦樂。

二六

以謙虛忍讓養深積厚，在無求無得中享有浩瀚三千大千世界；

以犧牲奉獻融和人我，在泯除對待中得到無量無邊法喜禪悅。

二七

只要能下定決心，過去的失敗，正好是未來言行的借鏡；

只要肯不屈不撓，一時的障礙，正好是推動成功的力量。

二八

失敗並不可恥，無志才是可悲；

成功並不可喜，平安才是可賀。

二九

發心如燒水，須不斷添加柴火，水才會沸；

實踐如走路，應經常注意腳下，行才會正。

發心與實踐，是成功立業的要素。

三〇

任難任之事，要有力而無氣；

處難處之人，要有知而無言；

行難行之道，要有信而無懼；

忍難忍之苦，要有容而無怨。

三一

失意事，治之以忍；快心事，處之以淡；

榮寵事，置之以讓；怨恨事，安之以退。

三二

立志的人，才有目標；
實踐的人，才會成功。

三三

多一番考驗，長一番見識；
多一分享受，減一分志氣。

三四

多欲者，心常不滿；不滿，招災也；
知足者，歡喜常隨；歡喜，納祥也。

三五

在順境中要警惕自我，
在逆境中要奮勉向上。

三六

在心量方面，要有涵容異己的精神；

在做人方面，要有謙和明理的美德；

在事業方面，要有捨我其誰的願力。

三七

要做同體的慈悲人，要做共生的地球人，

要做明理的智慧人，要做有力的忍耐人，

要做施捨的結緣人，要做清淨的修道人，

要做歡喜的快樂人，要做融和的佛光人。

三八

安莫安於知足，危莫危於多言，

利莫利於喜捨，樂莫樂於禪悅。

三九

有志不在年高，有理不在聲大，

有心不在言表，有才不在現用。

四〇

助人善願，其德無量；

成人善事，其功更倍。

四一

偉大是由血汗堆積，犧牲越多，越是偉大；

成功多因勤勞而獲，用力越多，越會成功。

四二

有苦有樂的人生是充實的，有成有敗的人生是合理的，

有得有失的人生是公平的，有生有死的人生是自然的。

四三

忙，像一把鋒利的慧劍，能斷妄想的葛藤；

忙，是點石成金的手指，能化腐朽為神奇；

忙，是營養調身的補品，使人生充滿生機。

四四

有禪，就像有花朵，能芬芳香郁；

有禪，就像有山水，能美化環境；

有禪，就像有油鹽，能增加百味；

有禪，就像有陽光，能照古鑑今。

四五

老，非關年齡，最怕的是心力的衰退；

小，非關身材，最怕的是志節的不堅。

四六

行為可以看出做事能力，
言談可以察知品德修養。

四七

謙卑在人前，所向盡通；
傲慢在人前，寸步難行。

四八

佛陀在娑婆世間度眾，觀音到各趣現身說法，
地藏入煉獄大願濟拔，維摩於人間隨緣弘化。

四九

佛在心中，道在當下；
禪在定中，慈在智內。

五〇

污泥可以長出蓮花，寒門可以培養孝子，
洪爐可以鍛鍊鋼鐵，困境可以成就偉人，
苦澀可以蘊釀甘甜，煩惱可以轉為菩提。

五一

鏡上灰塵，擦拭即淨；大地黑暗，日出即明；
芭蕉空心，剝卻即無；柴中火炬，撲滅即熄；
春開百花，風吹即謝；三冬寒冰，春回即溶；
眾生妄想，一悟即了；癡迷無明，證者了知。

五二

冷靜是智慧的門戶，勤勞是成功的種籽，
感恩是幸福的泉源，懺悔是改過的妙方。

五三

對三寶要有信心，對修行要有道心，對眾生要有悲心，對佛教要有熱心。尤其要有與佛教共存亡的精神。

五四

不要只看自己，要看大眾；不要只看現在，要看未來；不要只做一件事，要做很多件事；不要只聽一句話，要聽很多句話。

五五

即知即行是英才，不知而行是庸才，知而不行是蠢才，不知不行不成才。

五六

希望可以寄託於明日，

行動必定實踐於今日。

五七

要如松柏，耐得考驗；要如根識，各司其用；

要如盲跛，和人互助；要如聖賢，不輕後學。

五八

批評不必怕，阿諛才可畏；

失敗不必怕，無知才可懼。

五九

改心換性是改變命運的藥劑，

回頭轉身是開創命運的良方。

六〇

每一個人都是自我生命的藝術家，可以彩繪自己的人生世界；每一個人都是自我生命的工程師，可以塑造自我的美好形象。

六一

居心寬大，條條大道；待人刻薄，處處荊棘。

六二

邪知邪見，似是而非，使人沉淪；正知正見，明心見性，使人自在。

六三

直心是道場，坦誠是淨土，歡喜是財富，慚愧是寶冠。

六四

語言，要像陽光，能製造光明的見解；
語言，要像花朵，能製造芬芳的思想；
語言，要像淨水，能製造潔淨的觀念。

六五

享受健康不如享受平安，
享受財富不如享受書香，
享受名利不如享受無求，
享受擁有不如享受施捨。

六六

肯學肯做就是能幹的人，
不學不做就是愚昧的人。

六七

忠厚不易偽裝，忠厚最好的考驗是時間；

奸佞也非本具，奸佞最好的考驗是利害。

六八

念佛，要念得輕安愉快；參禪，要參得放曠解脫；

生活，要過得圓滿自在；弘法，要宏觀宇宙全球。

六九

法無邪正，邪正由心；

心邪則法法皆邪，心正則法法皆正。

七〇

非份之財是毒蛇，

有道淨財是資糧。

七一

信仰如星光照路，如巨宅安穩；

信仰如大船引渡，如善友相伴。

七二

勇者創造命運，弱者依賴命運，

仁者靜觀命運，智者改變命運。

七三

待人厚道是美德，令眾人敬愛；

待人刻薄是缺德，令眾人厭惡。

七四

為人處事，要能如「水」；

遇山水轉，遇岸水轉，遇石水轉；無論遇到誰，我轉。

七五

為惡而磊落無懼，則謂大惡；

為善而怯懦不前，則謂小善。

七六

珍惜福報才會更有福報，

珍惜因緣才會更具因緣。

七七

看人家的錯失，是結怨之源；

看自己的不是，是眾善之本。

七八

看得破的人，什麼都是我的；

看不破的人，什麼皆非我的。

七九

苦難折磨的人生，似磨刀之石；
多一分苦難，便多一分堅忍；
多一分折磨，便多一分毅力。

八〇

浪費時間可惜，
生而不學可惜，
學而無成更可惜。

八一

一念瞋心起，八萬障門開，
一聲南無佛，皆共成佛道。
我們應該慎於每一念，將自己安住在慈悲般若之中。

八二

若時時原諒自己，必常常迷失自己；

若處處厚待自己，必屢屢失卻自己。

八三

要作正直的君子，敢言、敢為；

不做消極的好人，糊塗、昏庸。

八四

要做人間的鼓舞者，

不做他人的憐憫者。

八五

要想成功，必須發奮；

要能發奮，必須知恥。

八六

往好處看，往大處想，

往細處察，往深處解。

八七

消磨時間即是糟蹋自己，

浪費精力即是摧殘自己。

八八

病，是接近道心的捷徑；苦，是接近奮發的機會；

忙，是接近價值的要途；缺，是接近圓滿的階梯。

八九

真誠中的識見，是大識見；

患難中的擔當，是大擔當。

九〇

能知恥辱，必能成大器；
能知己短，必可成完人。

九一

修身修口修佛心，修自修他修人我，
修時修地修密行，修福修慧修禪淨。

九二

做事要有戰鬥的精神，
修行要有降魔的決心。

九三

良藥苦口利於病，澹泊明志利於事，
忠言逆耳利於行，清淨無求利於心。

九四

龍要游到大海裡應付猛浪，才能活動自如；
獅要跑到山林裡擊敗群獸，才能展現英姿；
鳥要飛到虛空裡接受挑戰，才能學會遨翔；
人要走到社會裡承擔考驗，才能快速成長。

九五

神通敵不過業力，
神通比不上道德，
神通及不上空無。

九六

倏忽因緣，點滴把握，則眼前一時，跨越千載；一時不異千載。
千年暗室，一燈即明，則歷經千載，盡在一時；千載不異一時。

九七

堅定的信仰，在一念之誠；
至誠之一念，一切可感動。

九八

每一時間都是黎明，每一挑戰都是機會，
每一逆境都是考驗，每一善行都是創造。

九九

唯有愛惜力量、養深積厚，才能蓄勢待發，實現理想；
唯有愛惜眾緣、尊重包容，才能群策群力，共成美事。

一〇〇

捨生取義，雖死，精神永存；
苟且偷生，雖生，精神已失。

一〇一

從佛相僧容裡，見到自己本來的面目；

從花草砂石內，認識三千大千的世界；

從蒲團拜墊上，體認自己無限的生命；

從靜夜明月中，緊緊把握永恆的未來。

一〇二

粗者與人鬥力，愚者與人鬥氣，

慧者與人鬥智，賢者與人鬥志。

一〇三

處順境不可得意忘形，

處逆境不可行為失檢。

此所謂窮不落志，富不猖狂也。

一〇四

被人包容，顯示自己渺小；
原諒別人，才能擴大自己。

一〇五

貧困是琢磨志氣的玉石，委屈是成熟身心的冬雪，
逆境是考驗人生的試卷，煩惱是修行證道的資糧。

一〇六

最好的禮物是忠言，
最好的修養是寬恕。

一〇七

智者改過而遷善，愚者文過而飾非；
遷善則其德日新，飾非則其惡日積。

一〇八

痛改前非，即成大善；
放眼未來，必有大志。

一〇九

發上等願，結中等緣，享下等福；
擇高處立，就平處坐，向寬處行。

一一〇

發財不如發心，改運不如改心，
治世不如治心，救人不如救心。

一一一

被人責罵而心不計較，必能增福增慧；
受人讚美而自覺得意，一定暗伏危機。

一一二

善於讀書的人，任何事物都在他掌握之中；

喜歡拜佛的人，任何煩惱都不得其門而入。

一一三

迷信宗教不怕，因為只是不懂；不信宗教可悲，因為一無所得；

邪信宗教可畏，因為走入歧途；正信宗教可喜，因為前程光明。

一一四

愈是歷經困難挫折，愈是成就逆增上緣；

凡事用心勤懇學習，必定能夠突破囿限。

一一五

毀譽不動於心，可謂參透人生；

喜怒不形於色，可謂修養到家。

一一六

法不求玄奇，有道才能自度度人；

道不求速成，有願才能深遠長久。

一一七

解決困難的最好辦法是努力克服困難，

獲得快樂的最好辦法是真心給人快樂。

一一八

寧可寂寞一時，不可淒苦一生；

寧可守道一生，不可迷糊一時。

一一九

沙地可以培育出禾苗，汙泥可以生長出淨蓮，

外境的好壞並不重要，有用的種子才最重要。

一二〇

對人常存「感恩」，見善唯恐不多；

對己多思「慚愧」，去惡唯恐不及。

一二一

喜不大笑，怒不暴跳，

哀不嚎哭，樂不輕佻。

一二二

盡其在我，雖敗猶成；

僥倖而得，雖成實敗。

一二三

精進，是開發潛能的不二法門；

懺悔，是斷惡向善的具體行動。

一二四

為學要通識，人際要通情，

個性要通達，求道要通理。

一二五

與其坐待因緣行事，

不如創造因緣機會。

一二六

多聞不如多見，多言不如多行，

多疑不如多問，多慮不如多防。

一二七

說話的目的不在表現自我，而在啟發聽者；

做事的目的不在獨善己身，而在服務大眾。

一二八

輕財者足以聚人，律己者足以服人，

量大者足以得人，身先者足以率人。

一二九

調心行善，心安自然體泰；

廣結善緣，緣多自然財廣。

一三〇

學習提得起、放得下，可以擴大自己的胸襟；

能夠看得遠、行得正，可以提昇自己的人生。

一三一

澹泊重於攀緣，退讓重於爭取，

道情重於人情，法樂重於欲樂。

一三二

隨緣不是隨波逐流，而是珍惜當下；
當下不在他方淨土，而是內心一念。

一三三

隨緣事事了，日用儘量少，
一切依戒行，自然無煩惱。

一三四

優秀的演技，來自演員認真領會角色的內涵；
豐富的生活，必須自己努力體證生命的意義。

一三五

懂得將「佛法」運用在日常生活，就「有辦法」隨緣任運自在；
能夠以「佛法」的觀點看待一切，就「有辦法」處理多變人生。

一三六

拜神是一時的恭敬，

皈依是一生的信仰。

一三七

禮拜可以折服我慢，念佛可以降伏妄念，

行善可以止息貪欲，包容可以對治瞋恨。

一三八

禮是和平的保障，無禮則危機四伏；

戒是安樂的維繫，無戒則紛亂必起。

一三九

懺悔不只是身體的禮拜，而是內心的自省；

懺悔不只是一時的告白，而是一生的除垢。

一四〇

懺悔能使人心地清涼，

發願能使人意志堅定。

一四一

懺悔就像清水一樣，可以洗淨我們的三業罪障；

懺悔就像衣服一樣，可以莊嚴我們的身心功德。

一四二

爛的瘡疤要割除，才會長出新肉；

壞習慣也要去除，才能培養德行。

一四三

驕氣不可長，傲骨不可無，

貪念不可有，道心不可少。

一四四

我願作一朵花，散發芬芳的氣息，給人香味；
我願作一座橋，溝通大家的來去，給人方便；
我願作一棵樹，庇蔭萬千的行人，給人清涼；
我願作一池水，滋潤旅者的心靈，給人解渴；
我願作一盞燈，照亮暗夜的道路，給人光明。

一四五

為文要有我，才有見解和生命；
修行要無我，才會開悟而證果。

一四六

悟，是從觀念的改變到生活品味的轉換；
證，是從修行的體證到心佛契合的融和。

一四七

依法重於依人，大眾重於自己，
文教重於慈善，有道重於有財。

一四八

別人灰心的時候，一句鼓勵的話，能使人絕處逢生；
別人失望的時候，一句讚美的話，能使人重見光明。

一四九

與人為善說好話，從善如流做好人，
心甘情願行好事，皆大歡喜存好心。

一五〇

耳中常聞逆耳之言，臉上毫無忿怒之相，這是修身進德之基；
心中常有拂心之事，形體毫無不悅之態，這是養忍調性之本。

一五一

立志、努力，縱然不能完全成功，也會得到進步；發願、向上，縱然不能完全實現，也會得到進展。

一五二

鬧時鍊心，靜時養心，坐時守心，行時驗心，言時省心，動時制心。

一五三

立志研究真理，處事依據道理，行為遵循倫理，做人要能明理。

一五四

小人以己之過為人之過，每怨天而尤人；君子以人之過為己之過，每反躬而責己。

一五五

要做一個出類拔萃的人，應有堅強的毅力；
要做一個事業有成的人，應有不息的精神。

一五六

燎原之勢，生於星火；
壞山之水，生於涓滴。

一五七

信心如瓔珞，使我們身心莊嚴；
信心如手杖，使我們行進無憂。

一五八

為道不憂，則操心不遠；
處身常逸，則用志不大。

一五九

憐憫的給予，不如辛苦的得賞；

辛苦的得賞，不如自求的成功。

一六〇

能在困苦中奮鬥，必有所成；

能在平凡中創造，必有所進。

一六一

要明白真實的自我本性，必須經由修行；

要了解生命的本來面目，必須透過體證。

一六二

一念作惡，鑄成大錯；

一念懺悔，起死回生。

一六三

遺棄為擊破依賴心理的驚棒，

獎勵乃扶植無助心靈的溫床。

一六四

臨渴掘井欠打算，恃才傲物少助緣，

觀望不前增愧惱，無慚無愧禍臨門。

一六五

有備的後退，則跳得更遠；

適當的休息，能走得更長。

一六六

擁有天下非富有，

心靈充實才可貴。

一六七

道不成，過在放逸懈怠；
學不成，咎在缺少志願。

一六八

從事卑微的行業也好，居住偏僻的陋巷也罷，
只要貢獻自己的心願，就能夠活得頂天立地。

一六九

只問耕耘不問收穫，只慰他苦不求我樂，
只想付出不求回報，只願成就不計辛苦。

一七〇

不怕失敗，只怕懈怠；
失敗愈多，經驗愈富。

一七一

以苦口為良藥，救自救他；

以良言為針砭，利己利人。

一七二

言誠有信，感人必深；

言不誠信，所感不深。

一七三

貧以無求為德，富以能施為德，

貴以下人為德，賤以忘勢為德。

一七四

「擁有」的層面有限，

「享有」的樂趣無窮。

一七五

世間的財富，要用信心的手去取；
遼闊的江海，要靠信心的船來渡；
正覺的佛果，要有信心的根生長；
無盡的法寶，要從信心的門進入。

一七六

真正的休息，是「休」歇六根，「息」止妄念；
真正的娛樂，是以法自「娛」，寓教於「樂」。

一七七

時時懺悔，才能改過自新；
時時發願，才能奮發向上。
懺悔，可以消除往昔罪業；發願，可以成就未來事業。

一七八

知足是天然的財富，奢侈是人為的貧窮，

精進是無盡的能源，懈怠是隱形的危機。

一七九

勤勉者，時間會帶給你的希望；

懈怠者，社會會忘記你的存在。

一八〇

回憶是黃昏美景，幻想是黑暗無光，

理念是日正當中，實踐是行走山河。

一八一

只要有心，小事也可以做成大事；

只要有力，毀謗也可以轉為讚美。

一八二

沒有效果的動作，等於沒有收穫的耕耘；

沒有反應的語言，等於沒有回音的空谷。

一八三

中國古人將隱惡揚善視為美德，

佛門弟子以隨口功德作為修行。

一八四

沒有勇氣，克服不了困難；

沒有毅力，成就不了事功。

一八五

秉持「難遭難遇」的信念，則能逆來順受，甘之如飴；

具備「與人為善」的精神，則能廣結善緣，皆大歡喜。

一八六

不當說而說是魯莽，應當說而不說是藏奸，
不該說而說則失事，應該說而不說則失人。

一八七

遭惡罵時默而不報，遇打擊時心能平靜，
受嫉恨時以慈對待，有毀謗時感念其德。

一八八

閒中不放過，忙處有受用；暗中不欺隱，明處有受用；
靜中不落空，動處有受用；迷中不執著，悟處有受用。

一八九

投入才能深入，付出才能傑出，
平凡才能不凡，磨練才能熟練。

一九〇

留心，能發現問題；
研究，能解決問題。

一九一

佛光山的賬簿掛在牆上，
佛光山的人事散播十方。

一九二

一切的成就，得之於勤勉；
一切的失敗，得之於懈怠。

一九三

以願心為動能，定可逆流而上；
以悲憤為力量，必能撥雲見日。

一九四

寧可守道貧賤而死，不可無道富貴而生；

寧可持戒進德而死，不可失戒顯達而活。

有道、無道，有法、無法，是為君子、小人之別也。

一九五

經驗來自實踐，成功由於力行，

非儉無以養廉，非勤無以補拙。

一九六

幽蘭藏於深谷，珍珠藏於海底，

寶玉藏於琢磨，鋼鐵藏於錘煉，

大器藏於晚成，顯達藏於謙卑，

聖賢藏於陋巷，大智藏於大愚。

一九七

說好話，慈悲愛語如冬陽，
　鼓勵讚美，就像百花處處香；
做好事，舉手之勞功德妙，
　服務奉獻，就像滿月高空照；
存好心，誠意善緣好運到，
　心有聖賢，就像良田收成好。

一九八

身體是四大假合，色身之外，
　還有一個不死的生命，那就是我們的法身；
財物為五家共有，除了外財，
　還有一個永恆的寶藏，那就是我們的真心。

讀後感言：

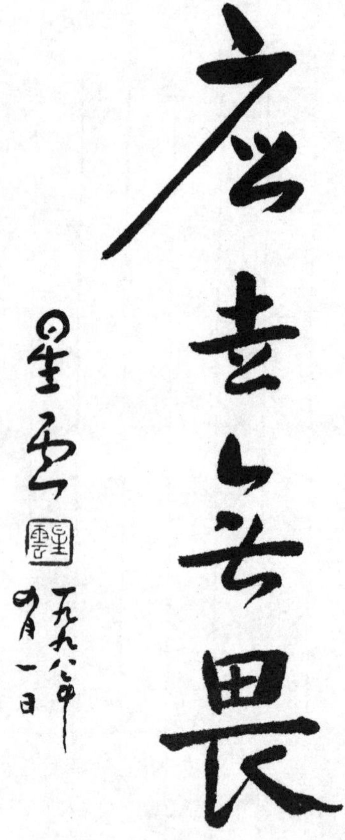
星雲
一九九八年四月一日

一

一個有用的人，即使是小事，也能做得轟轟烈烈；
一個無用的人，大事交給他，最終必然偃旗息鼓。

二

一個沒有慚愧心的人，永遠不能進步；
一個沒有羞恥心的人，永遠不能成功。

三

能和，則能共存共榮；
不和，勢必同歸於盡。

四

了解別人是體諒之道，寬容別人是和睦之道，
接納別人是群我之道，關懷別人是友愛之道。

五

人，要像皮球一樣，打擊越大，跳得越高；

心，要像麵糰一樣，揉搓越柔，韌性越強。

六

人，常為自己的假相而忙；

人，常為自己的興趣而活。

七

人之所患，莫甚於不知其惡；

人之所美，莫甚於好聞己過；

人之所貴，莫過於明理好義；

人之所鄙，莫大於寡廉鮮恥；

人之所尊，莫甚於慈悲喜捨。

八

求新的第一步，不是排斥傳統，而是了解傳統；
求變的第一步，不是表面背叛，而是內在蛻化。

九

人可以無錢，但不能沒有慈悲；
人可以無勢，但不能沒有人緣。

一〇

品德足以端正風俗，才能足以建立秩序，
聰明足以深謀熟慮，堅毅足以創立事業。

一一

人我相處之道，重在隨緣不變；
利害得失之前，要能不變隨緣。

一二

人生最大的敵人是自己，人生最大的毛病是自私，

人生最大的悲哀是無知，人生最大的錯誤是邪見，

人生最大的失敗是驕傲，人生最大的煩惱是欲望，

人生最大的無明是怨尤，人生最大的憂慮是生死，

人生最大的過失是侵犯，人生最大的困擾是是非，

人生最大的美德是慈悲，人生最大的勇氣是認錯，

人生最大的收穫是滿足，人生最大的能源是信仰，

人生最大的擁有是感恩，人生最大的修養是寬容，

人生最大的本錢是尊嚴，人生最大的歡喜是法樂，

人生最大的希望是平安，人生最大的發心是利眾，

人生最大的財富是智慧，人生最大的疾病是煩惱。

一三

人性的尊嚴，來自互敬、互愛；

人我的敬愛，來自共信、共賴。

一四

人要自尊，但不可傲慢；

人要自謙，但不可虛偽。

一五

口說不如身行，生氣不如爭氣，

妒他不如學他，認命不如拚命。

一六

大事不糊塗，小事不苛求，此乃事業成功之捷徑；

善德不嫌多，惡習不沾身，是為修行佛道之初階。

一七

不可為自己的利益，而失德傷人；
不可為自己的好處，而損人利己。

一八

不如意事，通常給我們開創再造之機；
逆增上緣，時時給我們展示成功之道。

一九

不自尊者取辱，不自重者招禍，
不自滿者受益，不自是者博聞。

二〇

不明理的人，永遠得不到快樂；
不惜情的人，永遠獲不得友誼。

二一

不肯結緣，人生會越來越貧窮；

肯結善緣，福德會愈來愈深厚。

二二

要將美麗的善心散佈人間，要將芬芳的愛心傳播社會，

要將清淨的真心供養十方，要將彩色的好心與人結緣。

二三

不誇耀自己的長處，不批評別人的短處，

不宣揚自己的貢獻，不抹煞別人的成就。

二四

天下事，越不做越不會做，以致永遠不會做；

菩薩行，越發心就越歡喜，以致永遠不退轉。

二五

心中只有自己的人，不會快樂；

眼中只有利益的人，終會失敗。

二六

心中有人、為人著想，是做人的先決條件；

心中有佛、視人如佛，是成佛的基本要素。

二七

心胸豁達開朗的人，凡事看得高遠，不會被眼前利益所蒙蔽；

心量狹隘自私的人，處處與人計較，所以往往無法成就大器。

二八

滿口的好話，滿手的好事，

滿面的微笑，滿心的歡喜。

二九

世故不宜太深，太深則生趣索然；

感情不宜太濃，太濃則難能持久。

三〇

世界處處是財富，且看好事好話好心地；

人間時時皆吉利，但憑真情真義真心意。

三一

從合群中廣結人緣，從工作中發揮熱忱，

從節儉中樂於喜捨，從勤奮中創造明天。

三二

以鏡為鑑，可以正衣冠；以人為鑑，可以知得失；

以病為鑑，可以起正念；以法為鑑，可以生道心。

三三

只要建設自己，不要破壞他人；

只要莊嚴國土，不要汙染生態。

三四

你對我無禮，我對你恭敬；

你對我驕傲，我對你謙虛。

此所謂柔能克剛也。

三五

平時多做善事，為自己寫下歷史，為社會留下貢獻，

則臨死何懼，雖死猶生；

經常多行不義，於自己造下惡端，於社會無所益處，

則常懷恐怖，生不如死。

三六

正以處心，廉以律己，恭以事上，

信以接物，寬以待下，敬以承事。

三七

生活就像翹翹板，不是上，便是下；

做人就像度量衡，不是高，便是低。

三八

用人時要懂得人的長處，

教人時要知道人的缺點。

三九

危難之中，先安定心理；是非之前，先明白事理；

做人之時，先了悟真理；處世之際，先通達情理。

四〇

有心外的活動，也要有心內的體驗；
有接受的生活，也要有感恩的美德；
有自我的個性，也要有隨眾的習慣；
有前面的世界，也要有退讓的境界；
才能擁有全部的人生。

四一

成大事、成小事，在於每一個人的發心；
做聖賢、做小人，在於每一個人的願力。

四二

有能力的時候，要常行好事；
無能力的時候，要常存好心。

四三

有同情心才能利人，有體諒心才能容人，

有忍耐心才能做人，有慈悲心才能度人。

四四

有膽識，方能承擔；

能細思，方能成事。

四五

自傲，是失敗的前奏；自卑，是消極的原因；

自信，是成功的力量；自尊，是高貴的本質。

四六

自傲的人難有知交，自私的人難有群眾，

自矜的人難有好名，自卑的人難有成就。

四七

忍耐是做人第一法，禮貌是處事第一法，
謙虛是保身第一法，寬容是用心第一法。

四八

平和是社交的藝術，輕聲是文明的象徵，
微笑是人際的陽光，信任是成功的朋友。
現代人社交禮儀之道也。

四九

位高而心愈下，則人自親；
祿厚而自彌約，則心自樸；
寵甚而思以慎，則位自固；
道崇而自謙退，則德自厚。

五〇

以是非為重，利害為輕；
以實踐為重，空談為輕；
以道情為重，人情為輕；
以真理為重，世俗為輕。

五一

只要耐煩有恆，時間的浪潮會將「小」人物推向時代的前端；
只要腳踏實地，歷史的巨手會將「小」因緣聚合成豐功偉業。

五二

克服困難，便能獲得良機；
掌握機緣，便能獲得成功；
忍辱謙讓，便能獲得人緣。

五三

利益均霑，莫以公物私惠親友；

寧己受難，不因小禍牽累他人。

五四

我處貧賤志不屈，

人陷困厄我不譏。

五五

我慢山高，魔影重重；

清淨心海，聖賢現前。

五六

改變自己最大的力量就是懺悔，

成就自己首要的工作就是立志。

五七

求人不如求己，求財不如勤儉，
求名不如隨分，求安不如守戒，
求助不如結緣，求福不如修身，
求壽不如護生，求利不如布施。

五八

困難裡或有許多生機，
勞苦中必具無限成就。
故遇難不必逃避，逢苦應當面對。

五九

見人一善，要容他、讚他，忘其百非；
見人一惡，要警我、惕我，盤算千遍。

六〇

見到他人慳貪的過失，自己要歡喜施捨的生活；
見到他人五根的過失，自己要歡喜持戒的生活；
見到他人世俗的過失，自己要歡喜出世的生活；
見到他人疑慮的過失，自己要歡喜正信的生活；
見到他人懈怠的過失，自己要歡喜發心的生活；
見到他人瞋恚的過失，自己要歡喜忍辱的生活；
見到他人妄語的過失，自己要歡喜忠信的生活；
見到他人是非的過失，自己要歡喜正派的生活；
見到他人罪苦的過失，自己要歡喜慈悲的生活；
見到他人執著的過失，自己要歡喜無我的生活；
見到他人奢靡的過失，自己要歡喜清淨的生活。

六一

怕責任、怕承擔、怕辛苦，則永遠不會進步；

怨天地、怨命運、怨他人，則永遠不受重視。

六二

物品壞了可以修復，情義損壞難以彌補，所以我們要惜情；

錢財丟了可以賺回，時光一去無法倒流，所以我們要惜時。

六三

知識可以充實自己，懿行更可以莊嚴自己，

說法可以度化他人，威德更可以攝受大眾。

六四

信心進步道業增，努力接受學業成，

做人圓融怨尤少，口常讚歎福德全。

六五

待人應似春風，處世須像夏蓮，

律己宜帶秋氣，利他猶如冬陽。

六六

是非越多，痛苦越甚；

識見越高，道理越明。

六七

為人勿計得失，應計善惡；做事勿計成敗，應計是非；

處事勿計褒貶，應計心安；工作勿計成果，應計耕耘。

六八

禮貌尊敬講愛語，樂觀滿足生歡喜，

明理和平有自由，慈悲包容慶安全。

六九

苦事多從自己做起，樂事多為別人著想，

壞事多由自己承擔，好事多給別人稱讚。

七〇

要常想自己如何為別人創造因緣，

不要想別人給了我們多少的好處。

七一

修行的目標，以「無心」為最高境界；

辦事的原則，以「用心」為成功基石。

七二

容人者成其道，抑人者損其德，

愛人者得人望，害人者失人心。

七三

恕己一過，則萬過必因之而生；
從人一善，則萬善必由之而起。

七四

恭敬是出於本心，
恭敬是從我開始。

七五

缺乏自信自尊，人生就會癱瘓；
不肯進德修慧，人格就會卑賤。

七六

能立志，才能成大業；
有恆心，才能成大器。

七七

能包容一個家，就能成為一家之長；

能包容一個國，就能成為一國之王；

能夠心包太虛，就能成為法界之主；

人的心量有多大，世界就有多大。

七八

能容諫諍之友，勿交阿諛之人，

寧可受人欺騙，絕不自欺欺人。

七九

能納善，才能知過改過；

能施捨，才能惜福惜緣。

納善，君子也；施捨，善人也。

八〇

能隨遇而安，方能與人同住；

能隨緣攝化，方能自求進步。

八一

酒以不勸為歡，棋以不爭為勝，

理以無妄為道，人以無求為高。

八二

高尚之士，不以名位為榮；

達理之人，不為抑挫所困。

八三

停車留空間，將來好迴轉；

人情留一線，日後好相見。

八四

做人，不以聰明為先，而以盡心為要；

處世，不以成功為急，而以結緣為尊。

八五

做人要內外一如，處事要知行合一，

學佛要悲智雙運，辦道要福慧雙修。

八六

做人要知四大皆空，處事要明五蘊非有，

學佛要用不二法門，心境要如華藏世界。

八七

講話要含蓄，切忌太露；態度要委婉，切忌太直；

處事要圓融，切忌太真；做人要深厚，切忌太苛。

八八

做人要能被利用，才是有用之人；

物品要能被實用，才是貴重之物。

八九

做人要像一面鏡子，時刻自我觀照；

做人要像一只皮箱，隨時提放自如；

做人要像一本簿子，不斷記錄功過；

做人要像一枝蠟燭，永遠照亮別人；

做人要像一個時鐘，分秒珍惜生命。

九〇

做人處世要知理、知事、知人和知情；

學佛修行要知佛、知法、知眾和知慧。

九一

做事要有生氣，

處人要有和氣。

九二

強橫的舉措，所得的是強橫；

溫順的流露，所得的是溫順。

九三

知識與品德並重，慈愛與威嚴並重，

師教與自教並重，靜態與動態並重。

九四

處事要如虛空，只有清明的存在，沒有雲絲的玷污；

待人要如澄水，只有晶明的瑩潔，沒有些微的污垢。

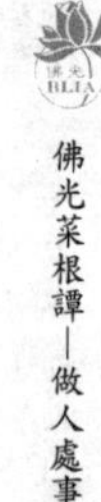

九五

處處關心別人則不會得罪人，
時時檢討自己則不會做錯事。

九六

最有成就的人最容易受人毀謗，
最鮮美的果實最容易被鳥啄食。

九七

尊重別人的自由，尊重生命的價值，
尊重大眾的擁有，尊重天地的生機。

九八

善於論人者，察己必常疏；
善於自省者，律己則常嚴。

九九

進步要在心平氣和中才能求得，
人緣要在隨喜服務中才能培養。

一〇〇

意志堅定，才能不為環境左右；
目標遠大，才能擔負度眾事業。

一〇一

溫和的語氣，比一支美妙的歌聲感人；
諷刺的聲音，是一支傷人傷己的利箭。

一〇二

違世間常理而成長之物必然早夭，
得天下非分之業而霸者必然敗亡。

一〇三

少年的時候，要修理自己；青年的時候，要正視自己；
壯年的時候，要擴大自己；老年的時候，要圓滿自己。

一〇四

對人，要往好處想、要往長處看；
對事，要往遠處想、要往大處看。

一〇五

對上不欺天，對下不欺人，
對內不欺心，對外不欺世。

一〇六

對現實不躲避，未來才有希望；
對往事勤檢討，現在才有進步。

一〇七

與人共處，不忘廣結善緣；

廣結善緣，不忘惜福惜緣。

一〇八

眾之所好，與之同欲，謂之賢哲；

個人所欲，不顧別人，謂之庸流。

心中有無大眾，乃聖賢之分界也。

一〇九

說話要誠實，不誠實即是妄語；

做事要認真，不認真即是懈怠；

對人要親切，不親切即是傲慢；

讀書要用心，不用心即是無知。

一一〇

相見以誠以真，相待以禮以敬，
相處以平以淡，相勉以學以道。

一一一

熱心，要順於道；
勇敢，要合於理。

一一二

衝得過逆境，才能學到本領；
禁得起考驗，才能擔當大事。

一一三

論人之惡勿太過，要思其堪受；
教人之善勿過高，當使其可從。

一一四

養心要如明鏡止水般澄澈，立身要如嵩嶽泰山般崇高，處事要如青天白日般坦蕩，待人要如光風霽月般和煦。

一一五

學人長處，不嫉妒；

容人短處，不計較。

一一六

錦上添花，得到的是短暫的歡喜；

雪中送炭，得到的是永久的感激。

一一七

懂得反省的人，常常心存感恩；

懂得感恩的人，時時惜福惜緣。

一一八

懂得利益別人的人，才是懂得利益自己的人；

懂得尊重別人的人，才是懂得尊重自己的人。

一一九

臨事須替別人想，

論人先從自己想。

一二〇

雖是天才，若常說：「等明日再說吧！」則與庸人無異；

雖是幹才，若常說：「讓別人來做吧！」則與無能無異。

一二一

謹慎、警覺，是心航的導師；

光明、柔和，是內在的佳侶。

一二二

競賽時，要有「我最好」的信心；
落選時，要有「你最好」的風度。

一二三

不要用自己所知來感受周遭的一切，
要如乾坤袋一樣去接受所有的事物。

一二四

怒氣招災，怨氣引恨，
和氣致祥，喜氣生瑞。

一二五

要恪守律儀，莫把隨便當方便；
要見義勇為，莫把姑息當慈悲。

一二六

以無為有，以退為進，

以空為樂，以眾為我。

一二七

逆境，是磨練意志的大洪爐；困苦，是完成人格的增上緣；

信心，是到達目標的原動力；理想，是建設人生的指南針。

一二八

接受的人生雖知感恩，

懂得布施則更具智慧。

一二九

說話，要讓人聽後歡喜；

做事，要讓人知後認同。

一三〇

人出巧詞，以誠相接；人出厲詞，以婉相答；
人出謔詞，以默相待；人出廢詞，以簡相告。

一三一

以牛糞心看事，一切都充滿臭穢汙濁；
以菩薩心看人，一切是佛的莊嚴顯現。

一三二

多說好話，常行好事，
時時反省，常常歡喜。

一三三

忙中能夠取靜，則其趣味無窮；
我中能夠有你，則可共存於世。

一三四

進言要盡責盡忠，

辭退要有禮有序。

一三五

一念為己，成就有限；

一念為人，廣結善緣。

一三六

說話要言行一致，行為要內外一如，

做人要前後一致，做事要大小一如。

一三七

謀遠先驗其近，

務大必謹於微。

一三八

天下沒有一勞永逸的事，努力不懈，才能擁有；天下沒有一成不變的事，權巧變通，才能進步。

一三九

自省而後會自覺，自覺而後有自信，自信而後可自強，自強而後能自立。

一四〇

逸樂，距離失敗最近；懈怠，距離成功最遠。

一四一

做時全力以赴，結果隨緣無求。

一四二

在言語上欲使人相信，必先言之有物；
在行動上欲使人相信，必先行之有果。

一四三

自以為無用者，往往因心靈開闊，而用處無窮；
自以為有用者，每每因事事執著，而用處有限。
無用與有用，只在一念之間。

一四四

做人，要受教、受氣、受苦；
修身，要改言、改性、改心；
好事，要敢做、敢說、敢當；
學習，要思想、思考、思慮。

一四五

為人要像山一樣崇高，
處事要如水一般流暢。

一四六

向前的世界雖然積極，背後的世界卻更寬廣；
唯有看清這兩個世界，才真正擁有整個世界。

一四七

對善意的批評，須有包容的雅量；
對善意的勸勉，應有感激的胸懷。

一四八

大眾重於自己，退讓重於爭取，
感恩重於仇恨，道德重於才能。

一四九

日日行，不怕千萬里；

常常做，不怕萬千事。

一五〇

真正有正義的人不會自欺，真正有道德的人不會自傲，

真正有學問的人不會自大，真正有能力的人不會自負。

一五一

對自己要有大願力，對他人要有忍耐力，

對處世要有慈悲力，對讀書要有精進力。

一五二

有接受別人批評的雅量，才能為學做人；

有改正自己錯誤的勇氣，才能立功立業。

一五三

意自滿者，其量非大，故要誡驕滿；

心常愧者，其過必少，故要懷大志。

一五四

坐下來聆聽對方的音聲，是溝通的祕方；

多替他人設想，是避免傷害的不二法門。

一五五

偷懶的人，會損失福德；

精進的人，能增長功德。

一五六

守口修身，不犯過錯；

如此行為，必能得意。

一五七

從勤勞發心之中，既可增長福慧，又可廣結善緣；

從節儉澹泊之中，可以增加財富，也可提昇美德。

一五八

為人誠信是第一財富，信仰正法是第一坦途，

正言實語是第一妙味，般若智慧是第一生命。

一五九

精進勤勞，是善德、是財富；

懈怠放逸，是罪惡、是貧窮。

一六〇

意志力可以克服體膚的饑寒、筋骨的勞苦；

平常心能夠對治心中的委屈、榮辱的遭遇。

一六一

做事要有濃厚的興趣，
有興趣，才能夠愈做愈有精神；
做人要有堅定的意志，
有意志，才能禁得起艱難考驗。

一六二

你大我小，不爭吵；你對我錯，人緣好；
你有我無，紛爭少；你樂我苦，幸福多。

一六三

做事無怨無悔是上等之人，
做事有怨無悔是中等之人，
做事有怨有悔是下等之人。

一六四

利益回饋大眾，榮譽分享大家，
辦事集體創作，做人你我一家。

一六五

講話不要做「烏鴉嘴」，要做「喜鵲報喜」；
待人不要做「相撲雞」，要做「鳳凰來儀」；
處世不要做「木頭人」，要做「微笑彌勒」。

一六六

歷史會肯定我們的定位，
大眾會推動我們的成就，
時間會帶給我們的利益，
恆心會幫助我們的進步。

讀後感言：

慈悲喜捨

星雲

一九九八年四月一日

一

「人」，須經過「人事」的歷練，才能成長；
「人」，須尊重「別人」的存在，才能擴大。

二

一碗慈心粥，勝飲人蔘湯；
一杯清和茶，勝喝瓊玉漿；
一口菜根香，勝嚼酒肉飯；
一念思無邪，勝辦滿漢席。

三

時間是人生真正的資產，學問是人生真正的財富，
智慧是人生真正的力量，健康是人生真正的快樂，
自由是人生真正的幸福，慈悲是人生真正的寶藏。

四

人生最高的美德是慈悲，慈悲歡喜可以美化生活；

人生最大的財富是智慧，智慧靈巧可以規劃生涯。

五

人生最美好幸福的事，是心中有一盞明燈；

人間最自由平等的事，是心內有一個真如。

六

人與人之間的不和諧，可以用慈悲去化除；

人與物之間的不協調，可以用智慧去解決。

七

謙虛服務才有前途，禮貌尊重才有人緣，

良好習慣才有威儀，勤儉好學才有成就。

八

不以金錢來堆砌表相，智慧才能莊嚴一切；
不以飾品來裝扮外觀，慈悲才能美化身心。

九

不墨守成規、不故步自封，才能在變化中求進步；
不短視近利、不好大喜功，才能在守成中求成長。

一〇

做人要有慈心，處事要有耐心，
公務要有道心，治學要有慧心。

一一

不懷恨、不怨尤，就會少煩少惱；
不計較、不比較，必然多助多緣。

一二

仁者樂山，慈德如須彌山，崇高偉大；
智者樂水，慧法如大海洋，浩瀚無邊。

一三

內在的思維，增進我們的智慧；
外在的苦難，增進我們的福報。

一四

以「智慧」降伏自內而起的煩惱，
以「慈悲」化解自外而來的憂患。

一五

以仁慈代替武力，才能得到永久的和平；
以忍耐代替鬥爭，才能得到永恆的力量。

一六

六道眾生，無非過去生中父母親朋，故要無緣大慈、同體大悲；凡愚智聖，皆是未來生中善友眷屬，故應包容異己、尊重自他。

一七

以慈悲的語言撫慰受傷的心靈，以智慧的利劍斬斷無始的煩惱。

一八

只要心中有慈悲、有智慧，「妙有」就可昇華為「真空」；只要心中有社會、有大眾，「真空」就能發揮出「妙有」。

一九

生活中有經驗，經驗就是神通；生活中有智慧，智慧就是神通。

二〇

用理智淨化感情，用慈悲運作感情，

用禮法規範感情，用道德引導感情。

二一

用智慧化導愚昧，無理不明；

用發心增進道業，無事不辦。

二二

用慈悲待人，會讓彼此和諧自在；

用智慧處事，會讓凡事順利圓滿。

二三

有知恩報德之心，人生才有根本；

有明是辨非之智，人生才能穩固。

二四

好讀書，則智慧之心生；
好道德，則人品之格高；
好慈悲，則人我之心平；
好禪定，則時空之境亡。

二五

愛語如布帛，讓人溫暖心懷；
好話如美玉，讓人喜於引用。

二六

具有同體的平等觀，才能同心同德；
具有共生的慈悲觀，才能共存共榮。
同體與共生，不但是宇宙的真理，也是人類幸福的準則。

二七

聖賢不在相好，在慈悲的給予；
聖賢不在神通，在智慧的辨別；
聖賢不在靈感，在方便的妙用；
聖賢不在廟堂，在人間的行化。

二八

求福當求永久福，增壽當增無量壽；
求福當求智慧福，增壽當增慈悲壽。

二九

見義能從，常情所難；
見義樂從，賢德所尚。
見義不從，世人所悲。

三〇

求健康長壽，要慈悲護生；
求財富利益，要布施結緣；
求眷屬和樂，要忍耐謙讓；
求聰明智慧，要知解通達。

三一

親切和藹可以生財，
慈顏愛語可以處眾。

三二

明理可以判斷是非，
不惑可以分別善惡。
是非善惡，為人不可不辨也。

三三

用慈悲的心靈關懷眾生，
用慈悲的眼神看待萬物，
用慈悲的話語隨喜讚歎，
用慈悲的雙手廣做好事。

三四

施捨真理是上等施，急公好義是中等施，
濟貧救苦是下等施，施不甘願是劣等施。

三五

假如你擁有戒定慧，溫馨一定靠攏著你；
假如你追求真善美，朋友都會包圍著你。
所以，稱人善者，人亦道其善；喜人有者，人亦樂其有。

三六

社團的慧命在文化、教育；
文化可以淨化心靈，教育可以改變氣質，根除煩惱。
社團的發揚在慈善、集會；
慈善可以拯濟色身，集會可以達成共識，匡扶大眾。

三七

柔和的音聲令人心生歡喜，正義的音聲使人盪氣迴腸，
慈悲的音聲讓人終生難忘，讚美的音聲給人如沐春風。

三八

修行者什麼都可以失去，唯有慈悲愛心，不能捨棄；
學佛者什麼都可以容忍，唯有毀佛謗教，不能姑息。
因為慈悲愛心最寶貴，護持真理最重要。

三九

恩必施於有功，不可妄給私人；

威必加於有罪，不可濫及無辜。

四〇

用慧心觀照五蘊皆空，用自心領導六根生活，

用信心開發自我潛能，用慈心與人和諧相處，

用孝心重整倫理道德，用愛心擁有快樂生活，

用悲心成就利生事業，用喜心涵容宇宙萬有。

四一

真正的力量是忍耐，真正的智慧是寬厚，

真正的慈悲是包容，真正的財富是知足。

忍耐、寬厚、包容、知足，人生之四寶也。

四二

留一點慈悲的種子，可以讓世人享用和平的果實；

留幾句愛語的和風，可以讓人間充滿尊重的溫煦；

留一份善美的信仰，可以讓眾生獲致得度的因緣；

留無限歡喜的言行，可以讓後人心生深遠的懷念。

四三

真正的殘疾，不是外在的身根不全，而是心中沒有慈悲和包容；

真正的缺陷，不是環境的困頓蹇厄，而是自己喪失信心和勇氣。

四四

苦難要受得了，受得了苦難才能堪受大任；

氣憤要忍得下，忍得下氣憤才能共謀要事；

私情要擋得住，擋得住私情才能交付重託。

四五

以愛才能贏得愛，以恨不能贏得愛；
以敬才能贏得敬，以瞋不能贏得敬。

四六

真理產生在寂寞中，耐得住寂寞，才有真理的產生；
智慧產生在忙碌裡，捱得過忙碌，才有智慧的產生。

四七

唯有慈悲，能化干戈為玉帛，消怨懟於無形；
唯有慈悲，能結善緣轉逆境，成事業度眾生。

四八

多一分理性，少一分衝動；多一分公義，少一分特權；
多一分服務，少一分自私；多一分慈悲，少一分瞋恨。

四九

真正的忍耐，是當仁不讓、顧全大局、為眾謀福；
真正的修行，是自我健全、犧牲奉獻、服務社會。

五〇

智者不以稱譽為喜，人之大善在於知過能改；
仁者不以無苦為樂，人之至德在於兼善天下。

五一

不能忍饑耐貧，就會隨俗流轉；
不能忍苦耐難，就會怨天尤人；
不能忍病耐累，就會自憐自艾；
不能忍譏耐謗，就難成就大器；
不能忍利耐樂，就易招致禍端。

五二

智者事事反求諸己，
愚者處處外求於人。

五三

智者的聆聽，雖粗言濫語亦攝神諦聞；
愚者的聆聽，雖慈言善語亦無法包容。

五四

經一分挫折，得一分識見；
容一分橫逆，長一分器度；
省一分心機，多一分道義；
學一分退讓，討一分便宜；
加一分體貼，知一分物情。

五五

用智慧確定方向，方向必到；

用意志克服困難，困難必解。

五六

忙碌的時候要有空閒的心情，

空閒的時候要有忙碌的感受。

五七

智慧可以傳授人生，經驗可以提攜後學，

修行可以開發生命，信仰可以找回本心。

五八

智慧由內心增長而得，

悔恨由外境過失而生。

五九

遇欺騙，須寬大；逢毀謗，不復仇；

遭加害，待以慈；受苦難，宜忍耐。

六〇

智慧觀照，凡事圓融無礙；

情識計度，一切分別雜染。

六一

善人視因果為朋友，智人視因果為龜鑑，

愚人視因果為法官，惡人視因果為仇敵。

六二

愚笨的人，別人操縱；

聰明的人，自我開創。

六三

慈心如花香，可以把歡喜傳送他人；

愛語如陽光，可以把溫暖散播十方。

六四

慈心能降伏一切鬼魅，

悲心能遠離一切邪惡，

喜心能所求所願如意，

捨心能廣施一切吉祥。

六五

一忍可以擋百勇，一靜可以制百動，

一勤可以成百業，一心可以做百事，

一善可以消百惡，一念可以超百劫。

六六

慈悲不是一個定點，而是讓情感不斷地昇華；
慈悲不是一條直線，而是讓愛心不斷地擴散。

六七

慈悲不是用來衡量別人的尺度，而是身體力行的道德；
慈悲不是用來沽名釣譽的工具，而是真心關懷的流露。

六八

慈悲如兩足，能遍行各地，了無障礙；
智慧如雙目，能洞察真偽，發現實相。

六九

慈悲而無智慧，恐將淪為邪惡；
智慧而無慈悲，終將流於執著。

七〇

能智能拙期可久，能信能疑險可走，

忠言逆耳利於行，清淨無求利於心。

七一

慈悲待物，愛護珍惜，花草樹木酬我以繁茂青翠，

昆蟲飛鳥迎我以悅耳鳴唱；

慈悲應世，不冀回報，榮辱得失於我皆逆增上緣，

天下眾生於我皆法侶道親。

七二

慈悲是家庭幸福美滿的動力，是社會安和樂利的基石；

和平是國家繁榮進步的要素，是宇宙生生不息的泉源。

有慈悲，才能和平；有和平，才能慈悲。

七三

慈悲是溫柔美好的世界，尊重是祥和歡喜的妙方，
感恩是幸福安樂的泉源，讚歎是利人化他的法寶。

七四

慈悲為接物之要素，
無惱為強身之祕訣。
慈悲的人無煩惱，煩惱的人無慈悲。

七五

感情要以般若智慧淨化，
財富要以合理方法取得，
事業要以善法精勤創造，
信仰要以正見深入體驗。

七六

愛的淨化是慈悲，慈悲能和諧群我；

愛的昇華是智慧，智慧能明辨是非。

七七

愛惜口中的語言，用慈悲的愛語化導暴戾氣氛，

能使社會趨於平和；

愛惜心靈的語言，用智慧的心語消除貪瞋愚癡，

能使心靈常保明淨。

七八

金錢再多，總有用完的時候；

開發心力，才是無盡的能源。

故人應重視心力慈悲之開發。

七九

煩惱者，會把小事變成複雜，好事變化成壞事；

智慧者，會把小事做成大事，壞人感化成好人。

八〇

只要心中包容一切眾生，就不會斤斤計較於榮辱得失；

只要心中蘊藏富貴法財，就不會汲汲營營於蠅頭小利。

八一

慧心巧手，能化腐朽為神奇；

慈心悲願，能化苦難為安樂。

八二

信佛不是求神通，而是學習佛陀悲智雙運的精神；

信佛不是求福壽，而是體悟佛法因緣果報的真理。

八三

追求善美，可以不計來日如何，
因為善美本身即是最好的目的；
窮究真理，不必拘以時間為期，
因為真理本身即是無盡的寶藏。

八四

篤信因果者，必定是有道德的人；
了解緣起者，必定是有智慧的人。

八五

聰明的人，可以從別人的錯誤中糾正自己的錯誤；
智慧的人，可以從別人的執著中認識自己的執著。
別人是我們的鏡子，也是我們的龜鑑。

八六

世間上最珍貴的舉止，不外結緣，故用結緣觀待人，無人不善；世間上最偉大的力量，不外忍耐，故用忍耐力做事，無事不辦；世間上最堅固的行為，不外願力，故用大願行度人，無人不益。

八七

懺悔的明礬能潔淨污濁，戒律的鍼藥能去除百病，慈悲的山泉能頓除乾渴，智慧的導師能救護指引。

八八

人，有了表情，就像甘霖遍灑旱地，一切都會活過來；心，能夠會意，如同春雷響徹天際，一切都會醒過來。

八九

以平等觀來化解冤家，以慈悲觀來消除怨尤，

以因緣觀來淨化人我，以定慧觀來發展潛力。

九〇

不記恨、不怨尤，這是尊重的美德；

懷慈心、懷悲願，這是安樂的源頭；

能受苦、能耐勞，這是成功的基礎；

多發心、多思惟，這是生命的昇華。

九一

今日的辛苦是未來的榮耀，

今日的忍耐是未來的成功。

今日，在時間中成為過去；今日，在成就上成為未來。

九二

世風日下正是吾人向上之階，世路風霜正是吾人練心之境，世情冷暖正是吾人忍性之德，世事顛倒正是吾人修行之資。

九三

以微笑的態度面對忿怒的場合，則忿怒無不消散；以微笑的心情處理沉重的急務，則急務愉快勝任。

九四

功名富貴之前退讓三分，何等安然自在；人我是非之前忍耐一些，何等悠閒自得。

九五

以慈悲歡喜來美化生活，以智慧靈巧來規劃事業，以道德良知來改善社會，以團結和諧來福國利民。

九六

包容異己的存在，包容傷殘的尊嚴，

包容冤仇的傷害，包容無心的錯誤。

九七

有一念慚愧的想法，就增一念的善心；

多一分嚴格的要求，就多一分的慈悲。

九八

有容乃大，吃虧是福；學習吃虧，能結善緣；

知過能改，善莫大焉；懂得懺悔，能進品德。

九九

有過，遭人批評，固然要欣然接受，真心地改過就好；

無過，受人冤枉，也無須辯駁糾正，確實地自省即可。

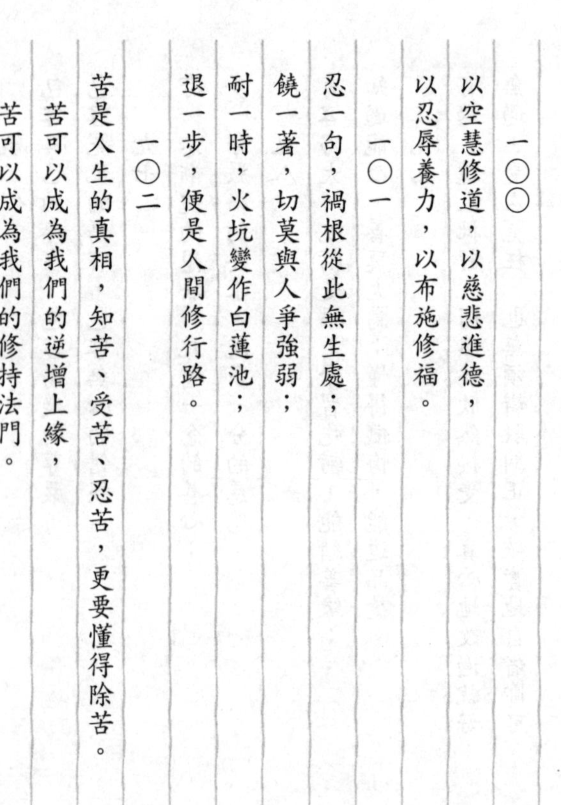

一〇〇

以空慧修道，以慈悲進德，
以忍辱養力，以布施修福。

一〇一

忍一句，禍根從此無生處；
饒一著，切莫與人爭強弱；
耐一時，火坑變作白蓮池；
退一步，便是人間修行路。

一〇二

苦是人生的真相，知苦、受苦、忍苦，更要懂得除苦。
苦可以成為我們的逆增上緣，
苦可以成為我們的修持法門。

一〇三

忍耐不是退縮，而是面對人間不平時，用平常心對待；忍耐不是無能，而是面對毀謗譏諷時，用質直心釋懷。

一〇四

忍耐是天地間最寬大的包容能量，無我是宇宙中最偉大的和平動力。

一〇五

忍耐為了利他，處難處之人，做難做之事；忍耐化解怨恨，容敵我之人，諒負我之事。

一〇六

忍耐與緘默是面對毀謗最好的方法，持戒與守法是面對傷害最好的回應。

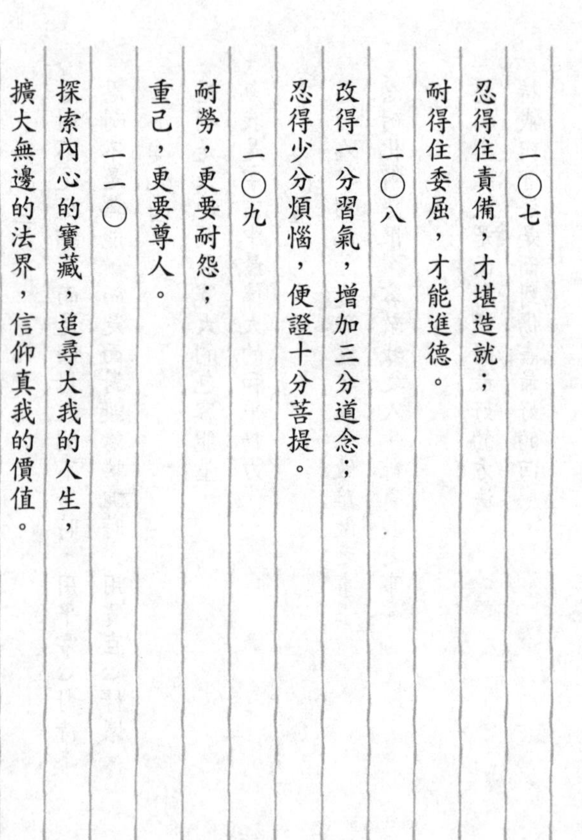

一〇七

忍得住責備，才堪造就；

耐得住委屈，才能進德。

一〇八

改得一分習氣，增加三分道念；

忍得少分煩惱，便證十分菩提。

一〇九

耐勞，更要耐怨；

重己，更要尊人。

一一〇

探索內心的寶藏，追尋大我的人生，

擴大無邊的法界，信仰真我的價值。

一一一

若能時時以「心甘情願」的態度來實現理想，則無願不成；
若能常常以「老二哲學」的雅量來待人接物，則無事不辦。

一一二

退一步海闊天空，讓三分何等清閒；
忍幾句無憂自在，耐得住快樂逍遙。

一一三

偉大艱鉅的工作，皆由堅持忍耐而完成；
光明燦爛的前途，皆由精進不懈而圓滿。

一一四

唯有真正受過痛苦煎熬的人，才更能體悟真理的崇高；
唯有勇敢接受負面不平的人，內心才能有寬容的空間。

一一五

健康可以使工作成為一種樂趣，
耐力可以實踐心中理想的藍圖，
仁慈可以包容周遭一切的缺失，
希望可以去除未知事物的恐懼，
懺悔可以洗滌身口意念的罪過，
思想可以躍出種種世俗的牢籠，
豁達可以擺脫悶悶不樂的情緒，
自信可以決定理想人生的目標。

一一六

著精進鎧，持忍辱弓，可以降伏魔軍；
以慈悲水，和智慧材，可以建立道場。

一一七

謙沖鮮招忌，忍讓少樹敵，
澹泊無得失，寬容絕恩怨。

一一八

寧可讓人責罵，
不求讓人寬容。

一一九

寬待善人是美德，
容忍惡人是養奸。

一二〇

一時的忍讓，能換來長久的安樂；
一時的委屈，能換來最後的成功。

一二一

諍論，只有加深彼此的怨結；
唯有謙讓，才能化爭鬥為融和。
猜忌，只有減損互相的尊重；
唯有信賴，才能轉排斥為祥和。

一二二

寬，則能容；
容，則能和；
和，則能平。

一二三

難耐，是修養的訓練所；
衝動，是涵養的試金石。

一二四

思辨愈深，愈顯智慧之味；
發言愈快，愈陷謬誤之失。

一二五

欲求身安，先淨其心；
欲求心安，先防己過。

一二六

學習接受，是自我充實之道；想當然爾，是自在安忍之道；
凡事忍耐，是自由快樂之道；讚美別人，是自修善緣之道。

一二七

以怨報怨，怨難止；
以忍止怨，怨自息。

一二八

能忍能耐，心常安泰；
有智有慧，事本可貴。

一二九

知苦是學道的增上緣，
耐苦是得道的登高梯。

一三〇

成人之美，美譽常隨；
助人為惡，惡名不離。

一三一

為人當自立自強，不可因他人言行而動搖；
為人當自主自尊，不可因做事困難而灰心。

一三二

毀謗人、欺負人，必損其陰德；
讚美人、幫助人，必增其福德。

一三三

笑容，是世間上最美的色彩；
讚美，是世間上最好的聲音。

一三四

明白因果，就不怨天；
了解自己，就不尤人。

一三五

日日是好日，處處是好地，
人人是好緣，家家是好親。

一三六

用心在工作上，那是成功的根本；
用心在思考上，那是力量的根本；
用心在書本上，那是智慧的根本；
用心在結緣上，那是處眾的根本；
用心在慈悲上，那是做人的根本；
用心在無我上，那是修行的根本。

一三七

用心寧遠勿近，
用心寧廣勿狹，
用心寧深勿淺，
用心寧大勿小。

一三八

沒有自信必是最大的錯失，

過分自信也是最大的錯失。

一三九

每日說一些歡喜的話，每日做一些利眾的事，

每日讀一些益智的書，每日度一些有緣的人。

一四〇

善靜，應如深夜安眠，沒有一絲聲響；

善動，應如海浪翻騰，沒有一秒休息。

一四一

君子從不傷害別人，

小人從不譴責自己。

一四二

心中有慈悲，就能超然於稱譏毀譽之外，以服務為樂；
心中有力量，就能昂首於富貴淫威之上，以奉獻為榮。

一四三

小罅可以潰堤，微隙可以傷誼，
防微能夠杜漸，知錯能夠弭患。

一四四

一個真正的行者，
頭顱要頂著青天，
雙腳要踏著大地，
眼睛要注視芸芸的眾生，
耳朵要傾聽苦難的聲音。

讀後感言：

無住生心

星雲

星雲

一九九八年 四月一日

一

一切供養中，至心供養最為可貴；

一切布施中，喜捨布施最為受用。

二

布施，表面是「捨」，其實是「得」；

沒有捨去我們內心的慳貪，如何獲得無有罣礙的自在？

三

布施，看起來是利人的，實際上是利己的；

持戒，看起來是束縛的，實際上是自由的；

忍辱，看起來是吃虧的，實際上是受益的；

精進，看起來是辛苦的，實際上是安樂的；

禪定，看起來是刻板的，實際上是活潑的。

四

多做善事，才能積善成德；

多動善念，才能正念成事。

五

有計較、有所求的布施，福德有限；

不計較、無所求的布施，功德無量。

六

肯布施一點歡喜給別人，才是與佛心相應的人；

肯布施一點善緣給別人，才是與法道相通的人。

七

金錢布施，僅能紓解急用；

法理供養，一生受益無窮。

八

對人要禮與讓，對事要勤與明，
對境要淡與轉，對道要一與圓。

九

向尊長謙恭是本份，向平輩謙虛是和善，
向小輩謙虛是高尚，向生人謙虛是安全。

一〇

大丈夫不為一己之身謀，當為天下蒼生憂；
小乘人只為一己之身計，不為世間眾生想。

一一

大同世界，是政治的理想目標；
極樂淨土，是心靈的當下實現。

一二

政治，以財力、軍力治理國家；

佛教，以德力、法力化導群倫。

一三

政治，希望人人能夠安和樂利的生活；

佛教，要求人人能夠慈悲喜捨的做人。

一四

政治，是曲線的，曲而求遠，教育好人；

佛教，是直線的，直指人心，見性成佛。

一五

政治，是怒目金剛，要人人守法；

佛教，是慈眼菩薩，要人人自律。

一六

政治，是管理大眾、維護社會的理念；

佛教，是教化眾生、淨化社會的力量。

一七

政治，是講究權謀機變，以力服人；

佛教，是重視戒律因果，以德服人。

一八

政治，是護國降魔，以保衛人民；

佛教，是護生救苦，以慈愛眾生。

一九

政治，是權法，因時、因地、因人而制宜；

佛教，是實法，因教、因法、因理而肯定。

二〇

政治，要求人人奉行四維八德，以安邦治國；
佛教，要求人人實踐五戒六度，以自度度人。

二一

政治，重視實效通行，即日成辦；
佛教，重視遠益利濟，普度未來。

二二

政治，由外做起，要求人民修身守法；
佛教，由內做起，要求大眾修心守道。

二三

蓋世的功名，無非大夢一場；
驚人的富貴，難逃無常二字。

二四

不因窮困或富有而改變態度，
不因禮遇或違逆而改變尊敬，
不因成功或挫敗而改變信念。

二五

一個有用的人，勇於承擔而不推諉，要給人信心；
一個優秀的人，凡事決不輕易拒絕，要給人希望；
一個能幹的人，肯將利益分享大家，要給人歡喜；
一個慈悲的人，一定樂於主動服務，要給人方便。

二六

人格的可貴，是在功名富貴之外；
物質的可愛，是在贈者情義深長。

二七

人格，建立在「不自私」三字；

成功，奠基於「不苟且」一語。

二八

人若好善，福雖未至，禍已遠矣；

人不好善，禍雖未至，福已遠矣。

二九

口裡常說「請」、「謝謝」、「對不起」，能使人生祥和如意；

心裡常念「好」、「慚愧」、「結善緣」，能使人格達於善美。

三〇

不能寬恕他人，便無法獲得別人的寬恕；

不能讚美他人，便無法獲得別人的讚美。

三一

不殺生而護生，自然長壽；
不偷盜而布施，自然富貴；
不邪淫而尊重，自然和諧；
不妄語而守信，自然譽好；
不吸毒而正常，自然健康。

三二

公平就是人格的評定，
無我即是道德的標準。

三三

天生眼耳皆成雙，所以要多看多聽；
天生嘴巴只一張，所以要少言少語。

三四

少看少聽眼目明，少言少論耳根淨，

少思少慮絕緣慮，少執少求心太平。

三五

以眾人之心志為心志，則能通眾人之願望；

以眾人之耳目為耳目，則能盡眾人之情理。

三六

兄弟互相怨恨，受害的是父母；

夫妻互相怨恨，受害的是家庭；

同事互相怨恨，受害的是主管；

政要互相怨恨，受害的是國家；

人人互相怨恨，受害的是自己。

三七

平等和平奠基於人人皆大歡喜，
皆大歡喜落實於事事協調溝通。

三八

多子多孫，有「福」則有「氣」；
捨財捨物，能「捨」才能「得」。

三九

守時是社交的一種禮貌，盡責是工作的一種義務，
公平是領導的一種原則，輕聲是人類的一種文明。

四〇

面孔美麗的人，生活未必充滿快樂；
心靈純潔的人，生活才能充滿喜悅。

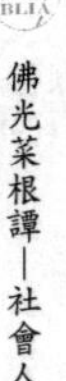

四一

佳偶非天成，相處中應該要：
多一分幽默，少一分計較，
多一分體諒，少一分爭吵，
多一分關心，少一分指責。

四二

修己以清心為要，
涉世以慎言為先。

四三

要求別人之前，先反求諸己；
責怪別人之前，先反觀自照；
賞賜別人之前，先了解公平。

四四

為人屬下者要如土，謙卑低下；

為人主管者要如海，不揀粗細；

與朋友相交要如林，含藏萬象；

與人群相處要如水，屈伸自如。

四五

美貌使人悅目，道德使人敬仰，

貞潔使人清淨，真誠使人信服。

四六

人生的球場要憑力道的均勻，商場的競爭要憑恢宏的氣度，

事業的大小要有健康的賽跑，外在的生活要有內心的享受，

財富的擁有要靠大地的普載，群我的融和要靠人脈的緣份。

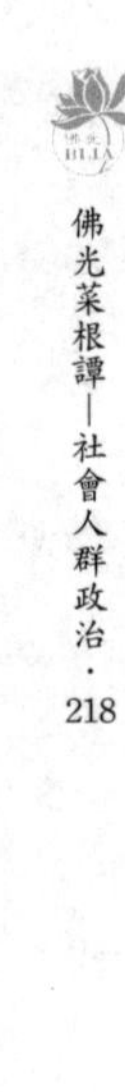

四七

真正會聽的人，要聽無聲的聲音；
真正會吃的人，要吃無味的飲食；
真正會看的人，要看無相的宇宙；
真正會想的人，要想無邊的法界。

四八

眼睛不要只看別人，要反觀自己；
嘴巴不要只說別人，要檢討自己。

四九

喜捨的人是內心富有的快樂人；
慳吝的人是內心貧乏的愁苦人。
喜捨是快樂之道，慳吝是愁苦之源。

五〇

能以和藹之容見人者，必得人和；
能以謙沖之氣處人者，必得人尊；
能以恭敬之心待人者，必得人敬；
能以讚美之言和人者，必得人緣。

五一

堅忍是最有用的德行，
耐勞是最有用的助緣。

五二

提得起、放不下，心門狹窄窄；
提不起、放不下，心中長戚戚；
提得起、放得下，心胸坦蕩蕩。

五三

對下不可官僚，要與人為善；

對主不可怨言，要居下如臣。

五四

對朋友要說清淨無染的善語，

對敵人要說止非息諍的妙語，

對道侶要說正法善道的實語，

對眾生要說利益安樂的法語。

五五

與君子交要以道義，與小人交要以禮貌，

與鄰居交要以誠信，與部屬交要以恩惠。

人的交往一如交通，應四通八達。

五六

廣結善緣，才能走遍天下；
照顧腳下，始能一路平安。

五七

一切好事，從我本身做起；
一切壞事，從我本身改起。

五八

一念之差，可以毀滅一生的榮譽；
一念之善，可以懺除一世的罪業。

五九

人生的價值，在於實現大我；
人生的意義，在於服務大眾。

六〇

人我相助，處處天堂；

鄰里相敬，處處淨土。

天堂在我家中，淨土在我心中。

六一

凡夫的想念是聚財，君子的想念是道德，

官員的想念是安邦，道人的想念是救世。

六二

子孫不患少，而患不才；

家業不患貧，而患少義；

家道不患衰，而患無志；

交友不患寡，而患多邪。

六三

小人固當遠，然亦不可顯為仇敵；
君子固當親，然亦不可曲為附和。

六四

反省的心無過，謙虛的心無驕，
感恩的心無愧，服務的心無懈。

六五

天下物，應歸天下用；
天下財，應還天下得。

六六

心中常存感恩，道業自然增長；
心中常存慚愧，人事必定圓滿。

六七

心量小、煩惱多，痛苦亦多；

心量大、喜悅增，福德亦增。

六八

父母的平安是頤養天年，兒女的平安是健康成長，

夫妻的平安是和睦相處，事業的平安是經營得當。

六九

世界是人生的戰場，社會是人生的學堂，

佛法是人生的妙方，信心是人生的寶藏。

七〇

令人畏懼不如令人喜愛，令人喜愛不如令人讚美，

令人讚美不如令人尊敬，令人尊敬不如令人懷念。

七一

世間事無絕對難易，
努力為之，難者亦易；卻步苟安，易者亦難；
天下人無絕對賢愚，
用心待之，愚者亦賢；揀擇嫌棄，賢者亦愚。

七二

以孝養奉親，以澹泊明志，
以勤儉生活，以笨拙學巧，
以耳聾止謗，以清淨遠色，
以慎言防口，以病患惕勵，
以興趣讀書，以疑情窮理，
以責己進德，以誠心守禮，

以大願立志，以擔當辦事，
以報恩救貧，以空慧修道，
以自重禦侮，以懺悔改過，
以熱心做人，以無求交友，
以慈悲應世，以智慧除惑，
以勤勞學習，以定力處事。

七三

只要根不壞，荒地也能開花；
只要心不死，絕處也能逢生。

七四

立身，要立萬世不敗之身；
做人，要做千秋不朽之人。

七五

金錢會流失，真如不流失；

名位有上下，佛性無上下。

七六

名利，遠觀則能灑脫；

名利，避開則少是非；

名利，澹泊則能洞察；

名利，放下則少憂惱。

七七

經濟富有要靠正當的精進，

心靈富有要靠正信的宗教，

群我富有要靠正直的交往。

七八

上等學子，能接受師長的折磨，忍耐上進；
中等學子，能接受師長的鼓勵，奮發圖強；
下等學子，能接受師長的讚美，愛中成長；
劣等學子，什麼都不能夠接受，事事叛逆。

七九

在服務奉獻中，成就他人；
在努力工作中，實現自我。

八〇

在團體中要被肯定，工作成果是重要的條件；
在社會上要受尊重，人格道德是重要的修養；
在家庭裏要有溫馨，風趣和諧是重要的因素。

八一

在學習的過程中，凡事接受，日久之後必能成就大器；

在研討的階段中，集思廣義，實行之時必能圓滿周到。

八二

以世界觀弘揚文化，以人間性落實生活，

以慈悲心普利群生，以正覺智辨別邪正。

八三

寺院如加油站，能添加人生所需的能源；

寺院如百貨店，能取得生活所需的道糧；

寺院如學藝坊，能學會處世所需的方法；

寺院如慧命家，能長養心靈所需的養分；

寺院如移民局，能供給極樂淨土的簽證。

八四

放下萬緣，全部接受；

事事好奇，處處學習；

求精求全，瞻前顧後；

自己無理，別人都對；

眼光要遠，腳步要近；

忍耐辦事，委屈做人。

八五

有己無人，是十足小人；

先己後人，是世間凡夫；

先人後己，是正人君子；

有人無己，是大乘菩薩。

八六

有真心、有熱心，一定可以贏得人心；
有正念、有道念，一定可以擊敗邪念。

八七

眷屬因緣好，相處在和敬；
自由應尊重，利害要看輕；
若要人讚美，多付辛與苦。

八八

鳥有樹則棲，樹倒則飛；
魚有水則活，水涸則亡；
花有春則開，春去則謝；
人有信則立，信喪則敗。

八九

有錢的人不善用錢，反被錢役；
無錢的人心滿意足，反有所增。

九〇

自己可以不聚外財，但不能不開發心田寶藏；
自己可以無錢無勢，但不能不開創社會資源。

九一

至誠的一念，上可體悟佛心，下可發揚人性，多麼美好！
邪惡的一念，小可敗壞名聲，大可覆亡家邦，豈可不慎！

九二

受人供養不應過分，過分必失；
得意之事不可多為，多為必敗。

九三

求利者不可論道，

求道者不可談利。

九四

身為領導者，決策時要能夠從善如流，執行時要能夠擇善固執；

身為屬下者，獻策時要能夠知無不言，辦事時要能夠服從領導。

九五

身體上的細胞脫序，會形成生理疾病，讓生命受到嚴重威脅；

生活中的倫理脫序，會導致天災人禍，讓生存的大環境堪憂。

九六

做萬種事，可結萬人緣；

利萬種人，能修萬種行。

九七

念身非我，多行善事；
念口非我，常出愛語；
念意非我，受持大悲；
念財非我，廣濟貧乏；
念名非我，清淨生活；
念權非我，救度羸弱；
念利非我，兼善天下；
念色非我，正念喜捨；
念生非我，勇猛精進；
念死非我，自在無憂；
念念非我，妙契佛心。

九八

所謂「爭氣」，並不是爭一時傲氣，而是爭千秋正氣；

所謂「求利」，並不是求一己私利，而是求眾生福利。

九九

注意傾聽，不只增加見識，而且受人歡迎；

用心辦事，不只增加力量，而且容易成功。

一〇〇

空氣流動才會清新，河水流動才會潔淨，

錢財流動才會富有，人才流動才會進步。

一〇一

恬淡樸實是隱士的風姿，莊嚴無華是長者的風範，

謙虛謹慎是君子的風度，勤奮精進是勇者的風骨。

一〇二

悲觀者說人生是一杯苦酒，樂觀者說人生是一杯香檳，和善者說人生是一杯清水，護世者說人生是一杯甘露。

一〇三

上等妻子：賢妻良母，持家睦鄰；
中等妻子：輔助丈夫，增加生計；
下等妻子：嫌東嫌西，怨恨不停；
劣等妻子：閒話是非，潑辣壞事。

一〇四

個人的能力要為團體服務，團體健全，個人才有出路；個人的權益要以法制規範，法制完整，個人才有保障；個人的喜好要對大眾有益，大眾歡喜，個人才有快樂。

一〇五

真正的名譽，不在於時人的讚美，而在於能為後人所效法；

真正的擁有，不在於一己的獨占，而在於能為大家所分享。

一〇六

真正的自由，在於心中了無罣礙；

真正的平等，在於你我互相尊重。

一〇七

真正的自由，是佛教的業力牽引，自作自受；

真正的平等，是法界的自性寶藏，生佛一如。

一〇八

在行為上要求規律，在信仰上要求正見，

在工作上要求勤奮，在生活上要求簡樸。

一〇九

財富並非永久的朋友，
朋友卻是永久的財富。

一一〇

發掘人才是靠人，而非制度；
統領大眾靠制度，而非個人。

一一一

愛惜自己的福報，就是珍惜自己的現在；
廣結人間的善緣，就是豐富自己的未來。

一一二

貴，視其所舉；富，視其所與；
貧，視其所取；窮，視其所為。

一一三

無事時應有明淨的心，有事時應有堅定的心；得意時應有澹泊的心，失意時應有舒泰的心。

一一四

常對大眾不滿，必遭大眾遺棄；常對因果違背，必受因果報應。

一一五

現實的世界是紛爭的、短暫的、染污的、痛苦的；佛法的世界是和平的、永恆的、清淨的、快樂的。

一一六

菩薩道不求速成，有願才能長久；人間事不求圓滿，殘缺也是完美。

一一七

處世有理和與事和，還要加上第三和—人際要融和；
人生有生老病死苦，不要再有第五苦—貪瞋最辛苦；
五戒有殺盜淫妄毒，更應守持第六戒—懶惰應該戒；
菩薩有施戒忍進度，定慧再加第七度—發心要自度。

一一八

犧牲自己，委屈求全，不傷害別人，
　這是戒的力量；
去除猜忌，捨棄驕慢，不侵犯別人，
　這是定的功夫；
觀照自我，了知因果，不錯怪別人，
　這是慧的般若。

一一九

醫生以救人為仁，軍人以救國為仁，

官吏以救民為仁，僧侶以救世為仁。

一二〇

憐憫不幸者，只是合乎人道；

解救不幸者，才合乎菩薩道。

一二一

對親友、家人，要關心和照顧；

對自己、生活，要滿足與自律；

對社會、國家，要結緣及貢獻；

對工作、事業，要主動和勤勞；

對怨敵、讎家，要原諒並包容。

一二二

慟失親人者，鼓勵他走向社會，關懷眾生；
事業失敗者，勉勵他重新定位，建立自信；
感情失落者，安慰他以慈作情，以智化情；
家庭失和者，勸告他以愛得愛，圓滿自在。

一二三

要用因果的筆來計賬，
要用忠誠的心來理財。

一二四

富而不知足，是亦為貧苦；
雖貧而知足，是則第一富；
又富又知足，人生真正好。

一二五

與佛眼相應，則能觀眾生之苦；

與佛口相應，則能說善妙之語；

與佛身相應，則能做不請之友；

與佛心相應，則能行利生之事。

一二六

能恨煩惱不恨他人，是世界上第一聰明；

能以他人歡喜為喜，是世界上最大快樂。

一二七

動，是發揮自己天賦的佛性，是開源；

靜，是珍愛自己內在的含蘊，是節流。

能動能靜，才能擁有中道的生活。

一二八

讚美如花香，芬芳而怡人；

助人如冬陽，適時而溫暖；

信心如舟航，乘風而破浪；

希望如滿月，明亮而美好。

一二九

與人交，要有情有義；

為人謀，要有忠有信。

一三〇

人生以無常為警策，執事以盡心為有功；

交友以信用為第一，治家以尊重為首要；

遇險以不亂為定力，濟世以慈悲為根本。

一三一

不要無情的拒絕，要有代替的拒絕；
不要無禮的拒絕，要有方便的拒絕；
不要生硬的拒絕，要有藝術的拒絕；
不要憤怒的拒絕，要有笑容的拒絕。

一三二

知感恩、懂珍惜，是富有之人；
有肚量、能包容，是豁達之人。

一三三

對世間的五欲要能放得下，
對真理的信仰要能提得起，
對自己的發心要能信得過。

一三四

生是前世的造作，要去改進；
老是無常的定律，要去接受；
病是必然的現象，要去承擔；
死是神識的流轉，要去面對。

一三五

第一等信徒，發心發願；第二等信徒，愛語讚歎；
第三等信徒，勞力服務；第四等信徒，出錢布施。

一三六

要自教自悟，不要如鸚鵡般人云亦云；
要承擔責任，不要如小魚般朋黨而聚；
要主持正義，不要如啞羊般怯於威勢。

一三七

上等丈夫：風趣幽默，如春風吹拂萬物；
中等丈夫：不苟言笑，如夏陽蒸烤大地；
下等丈夫：怪你怪他，如秋風掃蕩落葉；
劣等丈夫：瞋嫉粗暴，如冬雪帶來災難。

一三八

倡導人和，關懷大眾，
善用機緣，顧全大局。

一三九

在春天裏，紅花綠葉，顯得相得益彰；
在夜空中，星月交輝，更覺宇宙浩瀚。
只要懂得包容、協調，就會發現「一半一半」的世界真美好。

一四〇

世間上的偉人聖賢是靠立志而成功，
出世間的諸佛菩薩則靠發願而證得。
若想成功當偉人，則須立志做大事；
若想成道證佛果，則須發願度眾生。

一四一

一修人我不計較，二修彼此不比較，
三修處事有禮貌，四修見人要微笑，
五修吃虧不要緊，六修待人要厚道，
七修心內無煩惱，八修口中多說好，
九修所交皆君子，十修大家成佛道。
若是人人能十修，佛國淨土樂逍遙。

讀後感言：

善因妙果

星雲

星雲

一九九八年四月一日

一

「錢」，來得正當，用得恰當，則百利無一害；

「錢」，來得不正，用不得當，則百害無一利。

二

化貪欲為喜捨，化瞋怒為慈悲，

化癡闇為光明，化冤親為平等，

化煩惱為菩提，化妄想為正念。

三

人生之所以煩惱叢生，往往在於所知太多，無法消解，

所以有時需要裝聾作啞；

人生之所以痛苦顛倒，常常在於我執太強，不能放下，

所以有時應該難得糊塗。

四

人有一種劣根性，就是見不得人幸福；

人有一種壞習慣，就是喜歡毀謗他人。

五

人的善惡是從本性中發生，人的喜怒是從分別心而來，

人的哀樂是從感官中接受，人的真假是從境界中引發。

六

凡事竭盡心力，才能內省不疚；

不逞一時之忿，可免百年之憂。

七

不以嫉妒別人的才能為強，

應以無才而讓人憐惜為恥。

八

不因讚譽而得意忘形，順適往往是罪惡的溫床；

不因毀謗而瞋心怒目，橫逆往往是成功的契機。

九

微笑使煩惱的人得到解脫，微笑使頹唐的人得到鼓勵，

微笑使疲勞的人得到安適，微笑使悲傷的人得到安慰。

一〇

不貪不淫可以養德，能清能淡可以養壽，

少食少怒可以養神，無求無爭可以養氣。

一一

不遭人忌是庸才，遭人忌害而不變志節是真人才；

不被人敬是奴才，給人敬重而不生慢心是真能者。

一二

五欲障道，離欲解脫；

三毒害人，遠毒清淨。

一三

勿因忙於枝節小事而忘了堅持偉大的目標，

勿因貪圖眼前利益而忘了追尋永遠的安樂。

一四

一念之慈，萬物皆善；

一心之瞋，千般為惡。

一五

心，可成為光明莊嚴的道場，也可以是烽火漫漫的戰場；

心，可成為產品良好的工廠，也可以是劫賊土匪的溫床。

一六

心中無事就是天堂花香，讚歎妙語就是天堂音樂，
尊重包容就是天堂光明，少瞋少貪就是天堂現前。

一七

心中有歡喜的人，到處是賞心悅目的景色；
心中有禪定的人，耳聞是八萬四千的詩偈；
心中有佛法的人，面對是善人善緣的世界。

一八

忙人無妄想，閒人無快樂，
好人無怨恨，壞人無情理，
智人無煩惱，愚人無知見，
邪人無正念，正人無邪心。

一九

心空，則無煩惱的障礙；

身定，則無環境的束縛。

二〇

心為煩惱本，六根作賊使，

時時反諸己，莫在六塵轉，

不當看不看，不當聽不聽，

不當說不說，不當做不做，

不起惑造業，無從生煩惱。

二一

付出關愛要不回報，寬容謙讓要不瞋恨，

分別抉擇要不愚癡，謙恭柔和要不傲慢。

二二

只記仇恨不記恩德，是下等人；
只記恩德不記仇恨，是上等人。

二三

多求的原因是貧窮，
喜捨的結果會富有。

二四

多聞、思惟、修行，可以開發我們的智慧；
去貪、斷瞋、除癡，可以淨化我們的心靈。

二五

如果我們一心向佛，則百福臨門、萬家生慶；
如果我們一心向魔，則千古迷妄、萬劫不復。

二六

善聽之人，將壞聽成好，將邪聽成正；

諦聽之人，將闇聽成明，將漏聽成詳；

兼聽之人，將點聽成線，將線聽成面。

二七

自私、瞋恨心去除了，身心才能淨化；

嫉妒、小心眼遠離了，心胸才能寬大。

二八

自私的慾望如溝壑，要用喜捨去填塞；

瞋怒的恚心如高山，要用慈悲去超越；

顛倒的邪見如瀑流，要靠正信去橫渡；

愚癡的執著如堅冰，要靠智慧去消融。

二九

我執不除，不能與大眾和諧共處；

法執不除，不能和真理相應契心。

三〇

身為苦本，離我執才能安樂；

心為惑源，去法執才能自在。

三一

非淡無以明志，非靜無以致遠；

非學無以廣才，非勤無以成學。

三二

修身要嚴，莫使造諸惡；

修心要密，莫使生欲念。

三三

真正的能源寶藏，不在山裡，不在海裡，在於自己的心裡；真正的佛法寶藏，不在經裡，不在口裡，在於自己的心裡。

三四

破戒，是個人行為的過失，只要至誠懺悔，重生有望；破見，是根本思想的動搖，猶如病入膏肓，無藥可救。

三五

貪多為做人之病，言多為涉世之病，計多為用心之病，費多為居家之病。

三六

貪者，諸惡之始；瞋者，諸障之由；癡者，眾罪之源；慢者，眾失之本。

三七

貪欲似海，瞋恨如火，

愚癡則暗，我慢山高。

三八

貪瞋愚昧，人間至苦；

慈悲喜捨，人間至富。

三九

喜怒不形於色，是君子的風度；

言談不出惡聲，是聖賢的行為。

四〇

喜時之言多失言，怒時之言多失禮，

哀時之言多失常，樂時之言多失態。

四一

結緣總比結怨好，

信佛總比信神高。

四二

黃金非毒蛇，淨財作道糧；

外財固然好，內財更微妙；

求財要有道，莫取非分財。

四三

祈求神明的感應，更要求內心的體驗；

祈求自己的平安，更要求大眾的幸福；

祈求世間的富貴，更要求出世的聖財；

祈求色身的延長，更要求慧命的永恆。

四四

傲不可長，傲長則人厭；欲不可縱，欲縱則傷身；志不可滿，志滿則遭怨；樂不可極，樂極則生悲。

四五

愚者在外境追逐一時的欲樂，因此苦上加苦；智者從內心找到永恆的平安，所以喜悅無窮。

四六

愚昧的人，常感到環境待他不公平，認為懷才不遇；聰明的人，常發現環境時時考驗他，可以創造未來。

四七

愚癡來源是我執，學佛須先學無我；放下身心能無我，真理之光照心頭。

四八

瞋心，是長養痛苦的溫床；
貪欲，是鬥爭紛亂的禍端。

四九

遭謗要不瞋不發怒，轉作精進力；
遇惑要不癡不執迷，悟出佛真義。

五〇

人在四大不調時，身體就有病；
遇到不如意的事，心裡就有病；
惡口傷人或妄語，口中就有病；
擺出臉色給人看，臉上就有病。
學佛的人不要讓身、口、意生病。

五一

將人比人，真是氣人，

將心比心，大家更親。

五二

惜情感恩，要湧泉以報；惜才結緣，要心甘情願；

惜世護生，要建設淨土；惜力慎言，要心領神會；

惜財愛物，要法界悠遊；惜福發心，要實踐慈悲。

五三

有了感動，就能心甘情願、任勞任怨；

有了感動，就能不怨不悔、勇往直前；

有了感動，就能知足常樂、精進不懈；

有了感動，就能自他互易、為人著想。

五四

不妄動，動必有道；不濫言，言必有理；

不苟求，求必有義；不虛行，行必有正。

五五

樂不足喜，樂極也會生悲；

苦不足憂，苦盡也會甘來。

苦與樂完全是隨著心念而起，也隨著心念而滅。

五六

在人海沉浮中，受苦受難是「當然的」，

唯有隨喜隨緣，才能找出通路；

在娑婆世間裡，給人歡喜是「當然的」，

唯有為所當為，才能有所貢獻。

五七

社會的病態——執著、功利、自私與暴力；
禪者的良方——放下、寬廣、大公與慈悲。

五八

日常生活中，衣食住行的懺悔，是身體行為的自我省察；
知識思想上，見解言論的懺悔，是心理意念的淨化修行。

五九

讚美的語言，像香水，小小一滴，就能彌漫四周；
勸誡的音聲，像宏鐘，輕輕一敲，足以震撼四方。

六〇

人的不滿與自卑，大都是從比較中產生；
人的快樂與幸福，大都是從感恩中獲得。

六一

不將喜怒安放在別人的毀譽上，
不將快樂建築在眾生的痛苦上。

六二

憤怒的時候，應緊閉嘴巴；
緊張的時候，要力持鎮靜。

六三

心如鐵石，志願方堅；
情愛不淡，至道難辦。

六四

如果想要將人際關係做得好，首先必須先喜歡對方；
如果想要將學問事業做得好，第一必須先全心投入。

六五

事事往好處想的人，快樂奮發；

處處往負面看的人，痛苦消沉。

六六

有公德心，才算有修養；

有辨別力，才算有學問。

六七

但求自己能忠誠對人，

不在意別人愧對於我。

六八

在克盡職責上，不要小看自己；

在享受權利上，不要膨脹自己。

六九

快樂在滿足中求，

煩惱從多欲中來。

七〇

把歡喜布施給人，自己更歡喜；

把煩惱傳染給人，自己更煩惱。

七一

不為財動，不為情動，不為名動，不為謗動，

不為苦動，不為難動，不為力動，不為氣動。

七二

沒有解不開的怨結，只有私欲有待解除；

沒有化不了的痛苦，只有執著有待放下。

七三

放大心胸，才無煩惱；
開闊思想，方增德學。

七四

直心、深心、菩提心，是建設人間淨土的條件；
善行、悲願、正思惟，是消災免難的最好方法。

七五

勇，是美德，但必須根據道義，否則徒逞匹夫之勇；
仁，是修養，但必須要有智慧，否則成為婦人之仁。

七六

為己煩惱，既愚昧又痛苦；
為人著想，既明智又快樂。

七七

消得一分習氣，便得一分光明；
除得十分煩惱，便得十分菩提。

七八

要向別人點多少頭，頭才可以抬得起來！
要向別人彎多少腰，腰才能夠挺得起來！

七九

真正的君子善惡分明，
消極的好人姑息養奸。

八〇

真正的情，應該是體諒別人、委屈求全；
真正的理，應該是講求實務、顧全大局。

八一

笑能卻病，喜能忘憂，

慈能與樂，悲能拔苦。

八二

正見的希望，成就正見的人格；

廣大的願力，成就廣大的事業。

八三

人之惑，惑於私，除私則明；

人之病，病於惰，去惰則勇。

八四

情緒化的言論只是逞一時之快，必無好的結果；

理智性的講話是經過再三思慮，必能各方圓融。

八五

莫讓私情延誤自己，

莫讓私欲侵害別人。

八六

喜怒不動身安泰，好壞不動法界寬，

得失不動心自在，稱毀不動佛國現。

八七

多言取厭，虛言取薄，

輕言取辱，失言取怨。

八八

嚴謹不怠的心情，是窮究真理的最好良伴；

積極磊落的態度，是追求善美的理想友侶。

八九

虛偽，於人於己，有害無益；

真誠，於人於己，多有幫助。

九〇

愈要避免煩惱，愈避免不了煩惱；

愈要追求快樂，愈追求不到快樂。

九一

好嗜欲則貪愛之心生，好利養則奔競之念起，

好阿諛則是非之人聚，好勝負則我慢之山高。

九二

書必揀擇而讀，則開卷有益；人必揀擇而交，則近賢希聖；

言必揀擇而聽，則是非明白；地必揀擇而到，則行無危險。

九三

經得起考驗的信心，才是真正的信心；
經得起考驗的友情，才是真正的友情。

九四

道情可以發掘人性，
理智可以昇華性靈。

九五

對人常感抱愧是恕道，
對己常覺不足是勵志。

九六

憂則天地皆窄，怨則到處為仇，
哀則自己束縛，怒則冤家當頭。

九七

隨便的承諾，會造成彼此的損害；

呆板的嚴謹，會造成雙方的隔離。

九八

一念之差分凡聖，

人格高低在己為。

九九

人之謗我也，與其能辯，不如能容也；

人之侮我也，與其能防，不如能化也。

一〇〇

不必言而言，是謂多言，多言招怨；

不當言而言，是謂妄言，妄言惹禍。

一〇一

人我自在是神足通，看破苦樂是天眼通，
是非分明是天耳通，皆大歡喜是他心通，
同體共生是宿命通，見聞清淨是漏盡通。

一〇二

自知者，方可明白腳下；
自信者，方可不受誘惑；
自立者，方可自主生存；
自尊者，方可灑脫自在。

一〇三

不說人非是厚道，不辯己非是高見，
揚人善事是報恩，隱人過惡是修德。

一〇四

不識賢愚是眼濁，不讀詩書是口濁，
不納忠言是耳濁，不容他人是量濁，
不通古今是識濁，常懷叛逆是心濁。

一〇五

不聽是非而聽實話，不聽惡言而聽善語，
不聽雜話而聽佛法，不聽閒言而聽真理。

一〇六

面對貧賤不動，則能澹泊明志；
面對炎涼不激，則能寧靜致遠；
面對是非不辯，則能涵容心量；
面對挫折不餒，則能養深積厚。

一〇七

天下本無事，庸人自擾之。

放得下，天下太平；

放不下，紛爭不已。

一〇八

心不妄念、身不妄動、口不妄言，君子所以存誠；

內不欺己、外不欺人、上不欺聖，君子所以慎獨。

一〇九

脾氣慢半拍，

吵嘴一回合，

見面三句話，

交談要微笑。

一一〇

心中的罪惡，法律無法制裁；

內心的牢獄，法律不能去除。

唯有在因果的法則之下，才有公平可言。

一一一

眼要明，明不失誤；

口要謹，謹不惹禍；

膽要細，細不妄為；

氣要平，平不執拗。

一一二

非分之想莫起，無益之事莫做，

虛妄之言莫說，不義之人莫交。

一一三

世間最難聽的聲音是譏諷，世間最好聽的聲音是讚美，世間最動聽的聲音是掌聲，世間最耐聽的聲音是寂靜。

一一四

對自己要做到不忘初心，對國家要做到不請之友，對朋友要做到不念舊惡，對社會要做到不變隨緣。

一一五

封閉的門窗，隔絕了外界的接觸；封閉的心靈，侷限了思想的空間。

一一六

生活中，值遇黑暗，才能顯出光明的可貴；正義時，受到毀謗，才能顯出人格的芬芳。

一一七

休怨我不如人，不如我者眾；

休誇我能勝人，勝過我者多。

一一八

多言必失，多不言亦必失；

禍由口出，福亦多由口出。

一一九

多管閒事，無異自找麻煩；

多說閒話，無異自討沒趣。

一二〇

觀操守在利害時，觀精力在饑疲時，

觀度量在喜怒時，觀鎮定在震驚時。

一二一

自己有過，高高興興地改過；
別人有過，心平氣和地勸告。

一二二

自家富貴不著心裡，人家富貴不著眼裡，
古人忠孝不離意裡，今人忠孝不離口裡。

一二三

放縱自己，罪大惡極；
論人隱私，禍患無窮。

一二四

知命者不怨天，
知己者不尤人。

一二五

是非朝朝有，沒有現在多；

是非朝朝有，不聽自然無。

一二六

脾氣要變成志氣，意氣要變成才氣，

怨氣要變成和氣，生氣要變成爭氣。

一二七

若理之是，雖靡費大，而作之何傷；

若事之非，雖用度小，而除之何害？

一二八

要人原諒你，你先要原諒人；

要人了解你，你先要了解人。

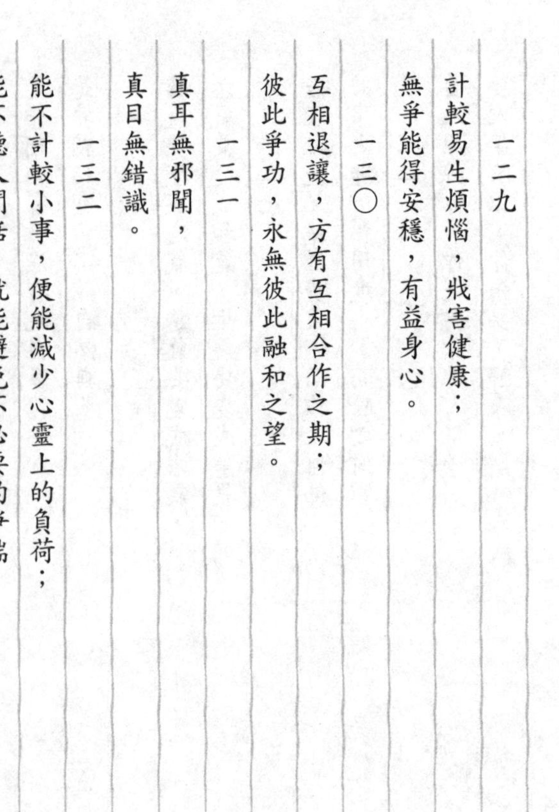

一二九

計較易生煩惱，戕害健康；
無爭能得安穩，有益身心。

一三〇

互相退讓，方有互相合作之期；
彼此爭功，永無彼此融和之望。

一三一

真耳無邪聞，
真目無錯識。

一三二

能不計較小事，便能減少心靈上的負荷；
能不聽人閒話，就能避免不必要的爭端。

一三三

唯有真誠懺悔、不斷改過，才能進德修業、日新又新；
唯有謙沖自牧、尊重他人，才能團結合作、共成美事。

一三四

忍饑者可以明志，忍貪者可以去貪，
忍氣者可以增德，忍辱者可以負重。

一三五

處順境的美德是制欲不放縱，
處逆境的美德是遭苦不抱怨。

一三六

最可恥的語言，是揭發別人的隱私；
最鄙劣的行為，是打擊別人的善行。

一三七

最糊塗的人，好說是非；
最愚癡的人，好聽謠言。

一三八

自負的人無人重用，自愛的人保有尊嚴，
傲慢的人不受歡迎，謙遜的人贏得尊敬。

一三九

無爭，並非不能爭，是能爭而不願爭；
無求，不是不能求，是能求而不願求。

一四〇

秉持共存共榮的理念，涵養尊敬包容的雅量，
捐棄同歸於盡的心態，建立歡喜融和的淨土。

一四一

感動的世界最美麗，

感動的人生最富有。

一四二

毀謗，是考驗道心的試金石；

障礙，是翻越我慢的踏腳板。

一四三

對人，應該在有過中求無過；

對己，應該在無過中求有過。

一四四

用忍耐的力量處眾，用擔當的力量負責，

用親和的力量待人，用禪定的力量安心。

一四五

說話如同射箭，出去了就收不回，因此要謹口慎言；

煩惱如同野草，生了根就燒不盡，因此要防心離過。

一四六

說話固然要小心，聽話也不能不謹慎；

接受固然要小心，施捨也不能不深思。

一四七

不貪污而喜捨，不抱怨而仁慈，

不懶惰而勤勞，不執著而明理。

一四八

學佛如橄欖，澀酸之後才甘甜；

修行如飲冰，寒冷之後才清涼。

一四九

懶惰固為罪惡，罪惡中的懶惰卻非罪惡；
努力固為善美，罪惡中的努力卻非善美。

一五〇

勢可為惡而不為，即是善；
力可行善而不行，即是惡。

一五一

樹之毀滅，因為根部腐敗；
人之毀滅，因為喪失良心。

一五二

恆心是成功的根本，
怠惰是敗事的先驅。

一五三

寧靜則心安，

心安則寧靜。

一五四

不說是非，不傳是非，

不怕是非，不聽是非。

一五五

欲望不大，失望越小；

欲望越大，痛苦越多。

一五六

威儀中有教養，教養中有莊嚴，

莊嚴中有慈悲，慈悲中有歡喜。

一五七

悟無常，可以改變自己；
悟煩惱，有如空華水月；
悟生死，勇於超脫輪迴。

一五八

心中有事世間小，心中無事一床寬。
心中有事應放下，心中無事應提起。

一五九

牢獄是有形的監獄，
悔恨是無形的監獄。
有形的監獄使身體不能自由，
無形的監獄使內心不能自在。

一六〇

在憎恨的地方播下慈悲的種子，
在創痛的地方包紮寬恕的良藥，
在疑慮的地方種植信心的禾苗，
在頹喪的地方建立希望的高樓，
在苦難的地方發出喜樂的訊號。

一六一

外財與內財俱有，
知識與信仰並重，
接受與施捨並行，
擁有與享有兼備，
此乃真正的富人。

一六二

對感情不執不捨，對五欲不貪不拒，

對世間不厭不求，對生死不懼不離。

一六三

以戒以道淨化身心，以定以慧安住自己，

以誠以信待人處世，以利以樂服務大眾。

一六四

少執多放心安泰，少傲多謙人緣好，

少色多德名譽佳，少私多公成就大。

一六五

以靜心對動心，以好心對壞心，以信心對疑心，

以真心對妄心，以大心對小心，以無心對有心。

一六六

不為討便宜而侵犯他人，不為逞己快而諷刺他人，

不為嫉彼好而打擊他人，不為護私欲而傷害他人。

一六七

不要把煩惱帶到床上，不要把怨恨留到明天，

忍耐是有力量的表現，慈悲是用不盡的寶藏。

一六八

用平常心來生活，用慚愧心來反省，

用無住心來修持，用菩提心來契道。

一六九

上等人，普利國家社會；中等人，欣賞師友成就；

下等人，利用親友影響；劣等人，嫉妒他人功業。

讀後感言：

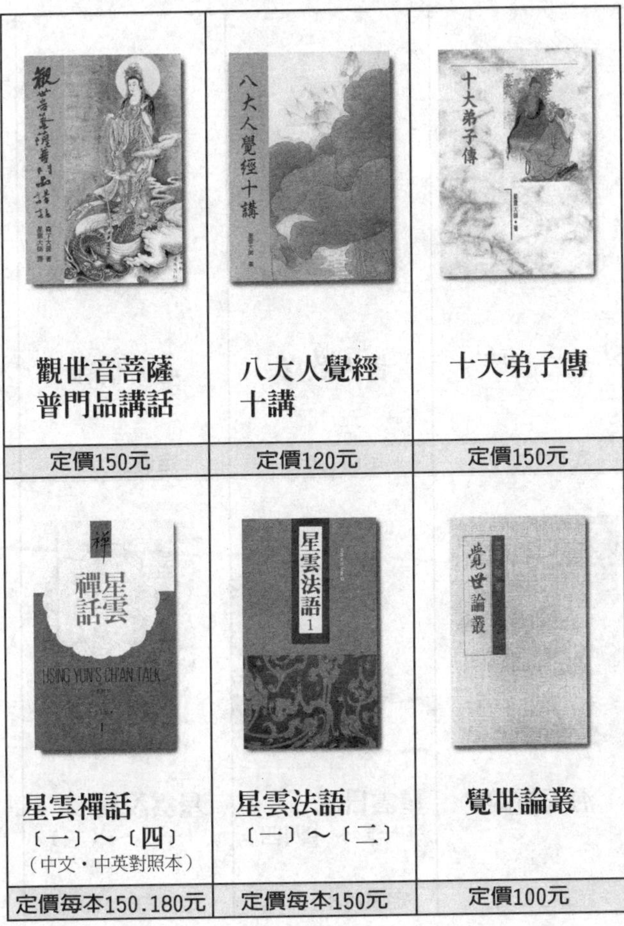
觀世音菩薩普門品講話
定價150元
八大人覺經十講
定價120元
十大弟子傳
定價150元
星雲禪話〔一〕～〔四〕（中文‧中英對照本）
定價每本150.180元
星雲法語〔一〕～〔二〕
定價每本150元
覺世論叢
定價100元

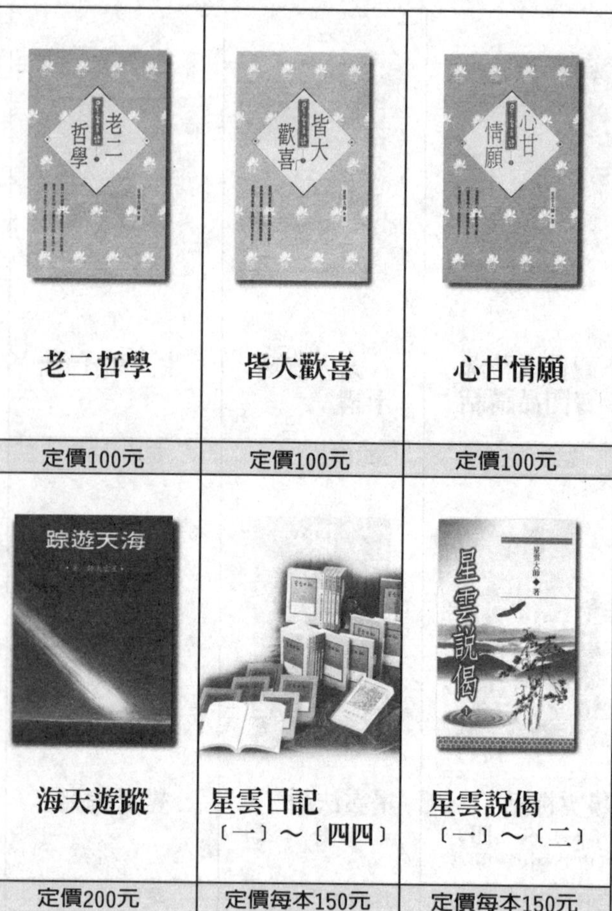

老二哲學
定價100元
皆大歡喜
定價100元
心甘情願
定價100元
海天遊蹤
定價200元
星雲日記
〔一〕～〔四四〕
定價每本150元
星雲說偈
〔一〕～〔二〕
定價每本150元

 一池落花 兩樣情	 有情有義 —星雲回憶錄	 金剛經講話
定價180元	定價4000元，特價3200元	定價500元
 傳燈【英文版】	 傳燈【中文版】	 佛光世界
定價360元	定價360元	US$10元

【索取辦法】

一、《佛光菜根譚》（以下簡稱本書）依其內容性質，略分爲六大類：

1.教育教理教用　　2.勵志修行證悟

3.做人處事結緣　　4.慈悲智慧忍耐

5.社會人群政治　　6.貪瞋感情是非

二、本書的印製有下列三種型式：

1.25開平裝本（320頁）助印每本100元

2.口袋書型（320頁）助印每本100元

3.口袋書型（分類單行本）助印每本20元

三、本書各類單行本第一版三十萬冊全由佛光山信徒自費印贈，贈完爲止。以後如有需要，請洽詢香海文化事業有限公司。

電話：（02）27483302

傳眞：（02）27605594

佛光世界叢書之二

佛光菜根譚

□作　者□星雲大師
□民國八十七年六月出版

□發行者□佛光山宗務委員會
高雄縣大樹鄉興田村興田路一五三號（〇七）六五六一九二一
□出版者□佛光文化事業有限公司
台北縣三重市三和路三段一一七號（〇二）二九八〇〇二六〇
香海文化事業有限公司
台北市松隆路三二七號九樓之二（〇二）二七四八三三〇二
□法律顧問□舒建中・毛英富
□定　價□二〇〇元
□助印價□一〇〇元
□再版日期□民國八十七年八月十日第一版第二次印行（20001--60000本）
□郵政劃撥□〇四六三二四五一　帳戶：佛光山寺
□行政院新聞局出版事業登記證局版北市業字第四七八號
□如有缺頁或裝訂錯誤，請寄回本公司更換

國家圖書館出版品預行編目資料

佛光世界. 2, 佛光菜根譚 / 星雲大師著. --
第一版, -- 臺北縣三重市 : 佛光出版 ; 臺
北市 ; 佛光山宗務委員會發行, 1998[民87]
面 ; 公分. -- (佛光世界叢書 ; 2)

ISBN 957-543-775-6(平裝)

1.佛教 - 語錄

225.4 87008768